P9-BHT-792

¿QUÉ FUE DE MACARENA ALBANTA?

¿QUÉ FUE DE MACARENA ALBANTA?

NATALIO GRUESO

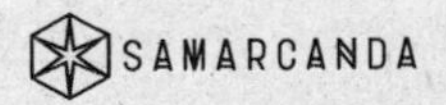

¿QUÉ FUE DE MACARENA ALBANTA?

ISBN: 9788419800718
ISBN e-book: 9788419800169
Audiolibro: 9781524340087

Producción editorial: Lantia Publishing S.L.
Plaza de la Magdalena, 9, 3 (41001-Sevilla)
www.lantia.com
IMPRESO EN ESPAÑA – PRINTED IN SPAIN

A Daniel.

A Eva.

A Eva y Daniel, en todas las vidas.

“Ayer de nada nos sirve,
las cicatrices no curan jamás”

De paso (Albanta)
LUIS EDUARDO AUTE

I

MAITINES

Había nacido para ser verso de bolero. Tenía la sonrisa más bonita del mundo, y esa tersura en la piel que la brisa, cargada de la arenisca del paso del tiempo, aún no había podido transformar en pergamino arrugado. Por la mañana, recién levantada y vestida apenas con una de sus camisas de algodón, olía al paradójico frescor de la carne caliente. Luego, a medida que avanzaba el día y los girasoles la buscaban desesperadamente, la fiesta de la belleza continuaba sin decaer hasta que la noche pintaba a todos los gatos de color pardo.

Un día desapareció. Ella, que no era de las que se escurrían por las rendijas de la vida, de las que desertan por voluntad propia del fértil negociado de la juventud, sometidas a la tiranía de un mago impostado de los que te cantan la copla del nada por aquí nada por allá. Y, sin embargo, desapareció, se evaporó como el rocío al sol.

¿Qué fue de Macarena Albanta? Para una vez que no había echado los cerrojos del corazón la desvalijaron por completo, que los postigos abiertos dejan los sentimientos al alcance de cualquier desaprensivo que los quiera manejar a su gusto. Con ella también desapareció la inocencia, dejando tras de sí un mundo en el que todos los zapatos estaban rotos, en el que los niños ya no jugaban con caballos de cartón y las muchachas perdían el virgo antes que los dientes de leche.

Nada, ni siquiera la lluvia, puede barrer la oscuridad de esta noche. La luz de los faros del coche se refleja contra el impenetrable muro negro de un paisaje que sólo desvela ráfagas como puñaladas de agua. Bendito verano de diluvios en la tierra del sol. Quizás se había equivocado de pueblo y de estación, quizás regresar fuera otro error sin marcha atrás, otro más. Quizás. Pero su recuerdo era demasiado intenso como para dejarlo estar. La tormenta pasará y mañana el cielo volverá a brillar, azul, cristalino, con la misma luz que irradiaba ella.

Se llamaba Macarena Albanta y había nacido para ser verso de bolero.

1

La desaparición de Macarena Albanta había alterado la apacible vida del idílico pueblito marinero en el que nunca pasaba nada, dejándolo sumido en el más profundo desasosiego. Aquel era un pueblo de cuento de hadas, sólo que en esta ocasión el cuento acababa mal. Cenicienta rompía sus zapatos de cristal y regresaba a casa calzada con toscas botas de militar, la Bestia violaba a la Bella, y el príncipe azul, al acariciarlo, desteñía, dejándote las manos tiznadas de añil impostura.

¿Qué fue lo que ocurrió? ¿Por qué desapareció? Los vecinos especulaban anticipando la tragedia presentida, imaginando mil y un finales que siempre terminaban en dolor insoportable y en drama. No había chica en el mundo más buena, más noble, más guapa y más encantadora que Macarena. Y ahora, trágicamente, de la noche a la mañana, ya no había nada. La joven había desaparecido dejando tras de sí un vacío inmenso, un reguero de belleza y amor que, quizás, no regresarían jamás. Imposible imaginar una injusticia mayor, una tristeza superior. El joven Vilches, un muchacho de ciudad que desde hacía un par de veranos sólo vivía para ella, se había convertido en el novio más afortunado del mundo, la envidia de todos los chavales de la localidad. Macarena había entrado en su vida como un torrente de aire fresco y él, a cambio, había registrado a su nombre todas las nubes del cielo, un cielo de algodón, el de la villa marinera bajo el que los delfines, en su peregrinar, dibujaban en su honor piruetas de bufón.

Todo lo que quedó fueron unos padres destrozados, una pandilla de amigos devastados, un inspector de policía confuso y aturdido, y unos vecinos temerosos de que el mal se hubiera instalado entre ellos. Pero de la chica ni rastro.

Y la vida siguió su curso. Ha tenido que pasar casi medio siglo desde que todo ocurrió para que aquel que tanto la quería, Vilches, su novio de entonces, regrese al pueblo decidido a averiguar qué fue lo que sucedió aquel infausto día de verano en el que su amada se esfumó de la faz de la tierra. Tiempo suficiente para ganar perspectiva y dar respuesta a la pregunta que lleva atormentándole toda la vida: ¿qué fue de Macarena Albanta? Aunque para descifrar el enigma antes resulte conveniente presentar a los figurantes de esta farsa en la que la única certeza es la desolación.

2

Las plataformas y el tacón de aguja complican la pavana que baila la reina del arrabal. Rodillas frágiles de cristal sostienen los muslos deshuesados de pavo real desplumado, enlazados con las canillas esquiladas pelo a pelo por una cera caliente y barata que huele a caramelo rancio. Medias de rejilla zurcidas como redes viejas de pescador pobre, sujetas por una liga roja que desemboca en el delta de un triángulo habitado por un pingajo inerte. Tetas de relleno insólitamente altivas, escotadas por un corpiño apretado hasta la frontera de la asfixia. Y los brazos delgados como ramas muertas que piden una poda a gritos, y las uñas pintadas para la batalla de un rojo luminoso que marida con el carmín de saldo que tiñe los dientes amarillos, imitando banderas que evocan a dragones y *Sant Jordis*. El rímel que resbala por las mejillas, ojos tan cansados que lo mismo lloran con motivo que sin él, y los polvos y el maquillaje que remiendan como pueden los baches de una barba dura y mal afeitada, barba de rostro entrado en años, de piel dura como el cuero curtido a la intemperie de sol y de agua. Peluca negra, cerdas hirsutas más próximas a una brocha de barnizar el cercado de una pocilga que a cabellos sedosos, y que, aun así, no escatiman en su longitud de melena esperando al viento que nunca llega, como esperan los pabellones flácidos a los que nadie se acordó de izar. Un collar de perlas falsas que nunca conocieron ostra, y brazaletes de bisutería que tintinean con cada movimiento de brazos, paseando un micrófono dorado y desconchado de cable largo como rabo de lagartija. La estampita de la virgen de los desamparados escondida en el envés del sujetador que sostiene quimeras de goma espuma, y ella, la vedette, que se santigua tres veces escondida tras el capote de terciopelo del telón que, poco a poco, se retira desvelando entre el humo de pacotilla la descangallada figura de carrocería de desguace de la gran diva del *cabaret* y el transformismo, la única, la inigualable, *la Perdularia*. Y entre risas, gritos y aplausos de un público canalla que de respetable no tenía ni a la madre, arrancaba la música grabada en una casete más vieja que la artista y comenzaba el espectáculo:

> «Soy un torrente, un vendaval
> Carne perdida de arrabal
> Cambio cuaresmas por carnaval
> Soy la lascivia
> Soy legendaria
> Soy… *la Perdularia*»

Paseo triunfal por la boca de escena y un movimiento pícaro que pretende ser sensual. La apoteosis. Y el cuplé que por fin se transforma en pavana, un dos tres, un dos tres, minué. Y vuelta a la carga otra vez, esta vez a ritmo de ranchera. Tú tenías mucha razón, se desangra la garganta, *la Perdularia*, le hago caso al corazón y me muero por volver. Y más que cantarlo lo confiesa.

Cada noche, cuando se sube a las tablas del *cabaret*, arrebatadamente lo confiesa. Volver, sí, pero ¿adónde? Y, sobre todo, ¿con quién?

Terminada la actuación saluda con prestancia de prima dona, de diva del Bolshoi o la Garnier, esperando un aplauso que nunca llega y que, cuando lo hace, aparece disfrazado de burlas y chanzas de mal gusto. Tras un descanso en el que se alimenta de cigarrillos y anís, llega el segundo pase —¿qué necesidad habría?— ante un público aún más asilvestrado que el anterior, pues junto a la noche cabalgan los vapores etílicos que implacablemente se apoderan del espíritu y, lo que es peor, del cuerpo del puñado de cabestros que pueblan las mesitas del *cabaret*. Mesitas redondas, diminutas como rosquillas, con manteles de hule pegajosos y grasientos tras noches de cercos de vasos y líquidos derramados. Las mismas canciones, los mismos bailes repetidos una y otra vez, interpretados con la frescura de una flor marchita de difuntos. El mismo espectáculo decrépito que ha ido perfeccionando hacia el naufragio noche tras noche. Entonces *la Perdularia* sonríe con el corazón apretado y diminuto como hígado necrosado, y escupe para sus adentros dos palabras que lo resumen todo: puta vida.

3

Si Macarena Albanta había nacido para ser verso de bolero, él llegaba todo lo más a estrofa de romance, que por su tamaño no daba para soneto o canción. Y eso que se arrancaba con gracejo por tanguillos y ripiaba bien por alegrías, haciéndose entender con una guitarra flamenca tan grande como él. Tomaba con desmesura, en catavinos que en sus pequeñas manos adquirían el tamaño de un copón de brandy, sin hacerle jamás un feo al próximo trago ni al siguiente fandango. Presumía de conocer París mejor que nadie, y eso que nunca había ido más allá de las marismas, pero, aun así, afirmaba, a quien le quisiera escuchar, que sabía de buena tinta que en la capital de la *France* siempre era primavera en las canciones, que allí vivía un fantasma en la ópera y un jorobado en la catedral, que en los versos de un tal Vallejo siempre había un aguacero, que te cortaban la cabeza por llamarte María Antonieta, que debajo de los adoquines de las calles estaba la playa, que todo el mundo era estudiante y llevaba una baguette bajo el brazo, y que los amantes se embadurnaban de mantequilla la retaguardia para mayor gloria de Sodoma y

Gomorra. Estas pinceladas parisinas eran infalibles, y ante las risas de la concurrencia y aprovechando la corriente festiva, Tico Tachuelas, que así se llamaba el personaje, prometía cantar *la vianrose* por seguiriyas si alguien buenamente desenfundaba la venencia y le escanciaba una manzanillita de esas que son gloria bendita, y de paso una tapita de jamón para acompañar la soledad del trago. Y como siempre hay un roto para semejante descosido, nunca faltaba quien pronunciara las palabras mágicas para que no se quedara el Tachuelas sin unas gambitas de Huelva, y un rasgueo de guitarra anunciaba que el cegato se iba a arrancar de nuevo, esta vez a la *salú de vú mesié*, justo antes de aclararse la garganta y transmutarse en Aznavour con faralaes.

Tico tenía sueños baratos. Que los sueños sean humildes a los ojos de los demás carece de importancia, porque nadie puede vivir la vida de los otros. El Tachuelas aspiraba a vender lotería. Y nada más. No fantaseaba con vivir aventuras en exóticos países, conducir lujosos coches o dormir en descomunales mansiones rodeado de hermosas mujeres que bebían champán en la piscina mientras esperaban ansiosas a acostarse con él. Su capacidad de ensoñación no llegaba a tanto, se jactaba de ser un hombre con los pies en el suelo aunque, en realidad, lo que no tenía demasiado alejado del piso era la cabeza. La naturaleza había sido poco generosa con él, interrumpiendo muy pronto su crecimiento, convirtiéndolo en un adulto que no alcanzaba el metro y medio de altura. Desde niño había llevado unas toscas gafas de concha de cristales ahumados que Tico justificaba diciendo que tenía el ojo vago, cuando lo que en verdad tenía eran catorce dioptrías que casi sumaban la treintena en el par. También caminaba con dificultad, cortesía de una osamenta fallida, un puñado de huesos malformados y peor situados, como si el arquitecto que lo construyó hubiera traspapelado los planos y equivocado los lugares en que debían encajar las piezas.

A cambio de tal desaguisado, los hados del destino lo habían dotado de un corazón alegre, de gracia y sentido del humor, y de una capacidad admirable para disfrutar con las cosas más simples. En el universo de Tico no había lugar para el enfado o la tristeza, por eso ni siquiera le molestaba el apodo que desde chico le habían puesto en la escuela y que a otro niño más sensible podía haberle hecho mucho daño. Lo llamaban el Tachuelas porque su aspecto no distaba mucho del de una chincheta. Y así, a fuerza de repetirlo una y otra vez, ya nadie recordaba su verdadero apellido y todos lo conocían como Tico Tachuelas.

Su hábitat natural era la bodega. No contento con salir de ella comido y bebido, raro era el día que no llevara además la faltriquera llena de dinero, que armado el belén, pocos eran los pastores que escapaban sin comprarle un billete de lotería. Tengo el trabajo más bonito del mundo, decía el Tachuelas, vendo suerte y reparto riqueza, a ver quién puede presumir de un empleo mejor. Si, además, buena parte de su jornada laboral se la pasaba sentado a la fresca, trasegando vino y en perpetua juerga, resultaba difícil negarle la mayor al más rumbero de la pandilla.

Para desplazarse usaba un rudimentario motocarro de tres ruedas con el que se movía por las calles del pueblo. Era un cochecito eléctrico que tenía tan poca potencia que, con frecuencia, se calaba en las cuestas. Nunca faltaba entonces alguien que lo empujara, aunque la experiencia le había enseñado a llevar siempre a mano una vara de madera para ahuyentar a garrotazos a los chavales que, con la habitual crueldad de la infancia, querían aprovechar para hacer carreras a su costa y tirarlo al mar. Otra de las bromas que le solían gastar los amigos consistía en ir a robar naranjas al huerto del cura y dejarlo a él solo bajo el árbol, animándole a que saltara para coger alguna, mientras los cabroncetes de sus amigos llenaban la saca con aromas de azahar y escapaban corriendo cuando aparecía el sacristán maldiciendo y con evidentes intenciones de darles la comunión.

De mujeres mejor ni hablamos, ¿verdad Tachuelas?, le decían con sorna los amigos, que sabían que Tico nunca había catado hembra sin pasar antes por caja. Hasta el boticario del pueblo, que se suponía el más formal de la cuadrilla, se sumaba con deleite a las burlas, y le regalaba al enano frasquitos de energía en pastillas para endurecer los ánimos. Subía entonces la marea de bromas hasta que el dique de la paciencia de Tico rebosaba y cortaba en seco cualquier otra pulla. El procedimiento que utilizaba siempre era el mismo: tomaba un décimo de lotería de la serie que colgaba del bolsillo de la chaqueta, se lo pasaba por los huevos y se lo daba a los amigos con el deseo de que se les cayera la pinga a trozos. Estos, a cambio, le soltaban entre risas las monedas de rigor y le invitaban a otro traguito. Lo cierto es que el billete de lotería jamás tocó.

Al llegar la noche, Tico Tachuelas recalentaba en un fogón los restos que habían sobrado del puchero en la tasca de la esquina. En algunas ocasiones, si se le olvidaba avisar al tabernero, se le adelantaban los perros del vecindario y cuando regresaba a casa las sobras del menú dormían ya plácidamente en el estómago de los canes, mientras que el que se quedaba canino era él. Pero como no existía contratiempo capaz de minarle la moral, se conformaba diciendo que ir a la cama sin cenar era bueno para mantener el *tipín* de esbelto figurín en miniatura. Al fin y al cabo, decía, a la mañana siguiente siempre acababa saliendo el sol.

4

No servía para otra cosa. Por muchos años que viviera jamás podría quitarse de la piel el olor a pescado. Resultaba sorprendente que su epidermis no se hubiera transformado todavía en un lienzo de escamas plateadas. Al menos cinco generaciones, de las que tuvieran recuerdo en la familia, se habían dedicado a la pesca. En primavera la almadraba de los atunes rojos para disfrute del paladar de los dioses. En invierno el róbalo, y durante todo el año la gamba y el langostino. Lo que fuera con tal de que estuviera en la costera, no demasiado profundo ni demasiado alejado de la rada del puerto, pues nunca le había gustado a este pescador aventurarse varios días mar adentro en busca de capturas menos sedentarias.

El viejo Valdivia estaba conservado en salmuera, efecto del paso de los años y los vientos. Las manos, grandes y llenas de callosidades, parecían dos tenazas diseñadas para estrangular suaves cuellos blancos, cuellos que se quebrarían como fino cristal bajo la presión de los hinchados dedos de uñas eternamente sucias.

Su rutina era la misma desde la época en la que jugaba con Vilches Galván a recorrer la playa en busca de tesoros, pues si algo sobra en el fondo del mar son restos de naufragios que vomitar sobre la arena. Se levantaba en plena noche, se calaba el chaquetón amarillo y la gorra azul de capitán, se tomaba dos cafés y algo sólido y contundente acompañado de un buen trago de aguardiente, comprobaba que los aparejos y las artes de pesca estuvieran bien dispuestas, el depósito de combustible lleno, la petaca rebosante de gasolina para el cuerpo, las cestas y las nasas bien amarradas, los cuatro compañeros que formaban su tripulación despiertos y en sus puestos, y así, con todo preparado, ordenaba soltar las amarras del noray, encendía el motor y enfilaba, a los tres nudos reglamentarios, la bocana del puerto. Grasa en las bielas y el repiqueteo monótono del motor de tres tiempos del pesquero, que recordaba vagamente el burbujeo de la olla al empezar a hervir, chup chup.

Los días en que había buena mar llegaba incluso a disfrutar de la navegación, del aire fresco del amanecer que camuflaba el hedor a aceite de motor y pescado rancio, ya que por mucha manguera que aplicaran llegados a puerto siempre quedaba algún resto de las capturas por las juntas de la sentina. Por el contrario, los días en que la mar se alborotaba, que eran la mayoría, el placer era sustituido por una incomodidad desagradable. Sin embargo, nunca le tuvo miedo al mar. Y eso que el viejo Valdivia no sabía nadar. Respeto, eso sí, solía decir, a la mar hay que tenerle respeto.

Terminada la jornada regresaba a puerto, directo a la lonja, donde casi todo el género estaba ya vendido de antemano. Y a partir de media tarde, despachado un día más en el calendario, consumía su dinero y su vida en la cantina de la cofradía, comentando con los compañeros de siempre, los mismos al menos desde que el hombre llegó a la luna, las noticias que desgranaba con desgana un televisor que pedía a gritos la jubilación para dejar paso a un joven y esbelto plasma.

Algunos días, al atracar de regreso, también se le podía ver sentado en el muelle sobre montañas de redes, remendando algún roto por el que se escapaban las lentejas que con tanto esfuerzo se procuraba en la mar. Y eso era todo. Esa era, en esencia, la vida del viejo Valdivia. También había una mujer, tan entrada en carnes, que se asemejaba más a un cetáceo que a un caballito de mar, y dos hijas que hacía ya muchos años que habían abandonado el nido familiar camino de unos matrimonios tan anodinos que no merecían mayor consideración ni a su propio padre. Ni la mujer ni las hijas parecían tener más peso en la vida del pescador que un jurel fresco recién capturado. El barco, la lonja, la cantina. Y nada más.

Valdivia era un hombre práctico y realista, que desde muy joven sabía que su vida no iba a diferir mucho de la de sus antepasados, la vida ruda y esforzada, pero también plácida y monótona de un pescador de bajura. Todo consistía en cuidar del barco, recoger las capturas del día y regresar a puerto con la tripulación intacta. Lejos de quejarse de su suerte, se consideraba un privilegiado. Era su propio jefe, no tenía que darle explicaciones a nadie, si acaso sólo a su legítima, y lo que ganaba, fuera poco o mucho en función de la generosidad y del humor del que estuviera ese día el mar, era para él y no para un patrón o un armador que lo despacharía con un sueldito modesto si las cosas iban bien o directamente con la carta de despido si iban mal dadas. A estas alturas el barco ya estaba pagado, aunque la vieja bonitera que utilizaba para salir a la mar requería de tantos cuidados que su mantenimiento consistía en un parcheado permanente propio de un neumático reventón. Pintado en carmín sobre el fondo blanco del casco, justo por debajo de la batayola, el nombre con el que habían cristianado al chalupón, *El Cristo redentor*, para que no quedaran dudas, tal como decía el viejo Valdivia, de que «a bordo se reza el ángelus, me cago en Dios».

Valdivia y Vilches habían sido buenos amigos. Nunca fueron juntos a la escuela, pero cada verano, cuando Vilches regresaba al pueblo a pasar sus vacaciones, se convertían en inseparables. Los rescoldos de esa amistad de infancia no se apagaron nunca, pues ese fuego que se prende siendo tan jóvenes suele perdurar a lo largo de toda la travesía. Pero cerca de cincuenta años, los que llevaban sin verse, son muchos para librarse de la carcoma del tiempo que todo lo termina por pudrir. Lo que jamás pudo imaginar el pescador era que esa tarde, al regresar al abrigo del muelle, se iba a encontrar con la inesperada visita de su viejo amigo de infancia. Y aunque el armazón se notaba más envejecido, sin el brillo y la fuerza de la juventud, permanecía inmutable el gesto levemente desmayado y elegante que ni el paso arrollador de medio siglo había conseguido cambiar. No tardó, pues, en reconocerlo.

—No me lo puedo creer. ¿Realmente eres tú, maldito tunante? —exclamó Valdivia desde la cubierta del barco— ha debido darme mucho el sol porque veo fantasmas del pasado.

Se restregó los ojos teatralmente.

—Sí, definitivamente deliro.

Escupió por la borda mientras la tripulación se afanaba en amarrar el pesquero. Saltó a tierra antes de que la maniobra estuviera concluida, tomó a Vilches por los hombros, lo miró al fondo de los ojos, como si quisiera cerciorarse de que tras las arrugas seguía escondido su amigo de juventud, y por fin dijo:

—Joder, pues sí que eres tú, maldito canalla.

Sólo entonces lo abrazó. Esa tarde no fue a la lonja a cobrar las capturas del día, ni se sentó a remendar las redes. Dejó que sus ayudantes se encargaran de esas rutinas, mientras que él, tomando por el brazo a su amigo, se encaminó directamente a la cantina de la cofradía.

Unas horas y un par de botellas no son suficientes para ponerse al día tras tanto tiempo de separación y silencio, cinco décadas de incomunicación y aislamiento de dos vidas que tomaron distintas bifurcaciones en un recodo del camino, y que sólo ahora volvían a juntarse cuando el partido entraba ya en su recta final. Pero ese lapso profundo como un agujero tampoco parecía suficiente como para cavar una trinchera infranqueable entre dos personas que habían compartido el comienzo de la partida, dos tipos unidos por un hilo invisible de extraordinaria solidez.

—¿Cuánto tiempo ha pasado, Vilches, cuarenta años?

—Casi cincuenta, marinero, cincuenta.

—No soy marinero, soy pescador. No es lo mismo. A estas alturas ya deberías saberlo, pero bueno, siempre has sido muy torpe para los asuntos de la mar.

—Yo al menos sé nadar, seguro que tú sigues sin atreverte a mojarte por encima de las rodillas.

—Si Dios hubiera querido que viviéramos en el agua nos habría dado agallas —sentenció Valdivia.

—Ahora citas a Dios sin que sea para blasfemar, cómo han cambiado las cosas.

—No me toques los cojones, Vilches, me cago en Dios.

A la tercera ronda, puestos ya al día de los principales acontecimientos que habían sucedido en sus vidas desde que habían dejado de verse, matrimonios, hijos, empleos, enfermedades... llegó la pregunta delicada que sobrevolaba la conversación. Fue el viejo Valdivia el que la formuló a cara de perro.

—¿Por qué has vuelto, Vilches? ¿Es por ella, verdad?

Vilches Galván llenó de nuevo su vaso, lo apuró de un trago, miró a su amigo y le sostuvo la mirada durante unos segundos que al pescador se le hicieron interminables. Su rostro esbozó un gesto de cansancio, quizás de resignación, quizás de asco. Después se levantó y salió de la cantina. Y no dijo nada.

5

Podéis ir en paz, afirmaba con su vozarrón el padre Querol mientras con la diestra, índice y corazón apuntando a la grey, dibujaba cruces en el aire como bendiciones de pontífice. Sobre esa piedra habían edificado la iglesia, piedra caliza que soportaba los cimientos del templo, una capilla marinera que con los años había ido creciendo hasta convertirse en un respetable edificio encalado, con girola y campanario. Si en la infancia hubieran jugado a imaginar a qué se dedicaría en el futuro cada uno de los amigos de la pandilla para ganarse la vida, seguro que habrían acertado en que Valdivia sería pescador, tal como lo eran sus padres y los padres de su padre, y que Tico vendería lotería. Pero probablemente nadie hubiera adivinado jamás que Pepe Querol se haría cura. Y aunque estaba ya al borde de la jubilación, a los amigos les seguía costando dirigirse a él como el padre Querol. Quizás porque siempre fue el más travieso de todos, el más golfo y al que más le gustaban las chicas. En los bailes y en los guateques era el rey, nunca le faltaba un cigarrillo en la boca y una copa en la mano, y las malas lenguas decían que antes de cumplir la mayoría de edad ya se había acostado con dos docenas de compañeras de la escuela y, al menos, con tres señoras casadas de muy buen ver. Un día de final del verano, para sorpresa de todos, mientras holgazaneaba con sus amigos en la playa, les anunció que en otoño entraría a estudiar en el seminario, él, que a la iglesia sólo se acercaba para mear en la tapia del camposanto cuando le apretaba la vejiga en las noches de parranda.

Al principio todos se lo tomaron a broma, tú lo que quieres es cazar a las monjas, le decían, pero el tiempo fue pasando entre padrenuestros y estudios de teología hasta que un buen día tomó los hábitos y ya no volvió a quitarse la sotana. Si había caído del caballo como San Pablo o si el caballo le había dado una coz en la cabeza dejándole trastornado, nunca se supo. Lo cierto es que Espíritu Santo mediante o no, Pepe Querol dedicó su vida a trabajar para la multinacional más antigua y poderosa del mundo.

Si el tránsito de la vida mundana a la contemplativa había dejado a todos sorprendidos, el paso del tiempo había conseguido al menos que los miembros de la cuadrilla se acostumbraran a ver a su colega con los mismos ojos de la infancia, como uno más de la inseparable cofradía de amigos que se habían jurado lealtad eterna. Ellos habían permanecido en el pueblo, habían envejecido juntos, pero desde que ocurrió lo de Macarena no se habían vuelto a juntar todos, siempre faltaba una pieza: Vilches. Su inesperado regreso estaba a punto de poner fin a esa separación de más de medio siglo. Pero, en el fondo, ya nadie estaba seguro de que a estas alturas esa fuera una buena idea, que el recuerdo desbarata en un instante lo que tantos años le ha costado ganar al olvido.

El cura fue el siguiente de la lista al que Vilches fue a visitar. No le resultó muy complicado averiguar dónde y a qué hora podía encontrarlo, le bastó con mirar el horario de misas en el tablón de anuncios de la capilla. Lo encontró en el confesionario, protegido por una cortina que, como si fuera el telón de escena, ocultaba la escenografía y la tramoya. Al otro lado del mueble, una celosía de madera servía para ocultar al sacerdote. Frente a él, arrodillada y genuflexa, una mujer enlutada y de gesto amargado confesaba sus pecados sin arrepentirse, quizás del más grave de todos ellos, pensó Vilches, haber desperdiciado su vida sin divertirse ni haber conseguido ser feliz ni un solo día. Cuando abandonó el confesionario, la mujer cruzó su mirada con la suya, una mirada cargada de desconfianza y odio que le hizo estremecerse. Apenas tuvo tiempo para reflexionar sobre ello, porque en ese momento su viejo amigo Pepe Querol salía de detrás de la cortina y se plantaba frente a él.

—Hijo mío, ¿puedo ayudarte en...?

No pudo terminar la frase, porque una ráfaga de recuerdos se apoderó de su cerebro con la velocidad de un rayo.

—¿Eres tú, Vilches? ¿Realmente eres tú? Por el amor de Dios, has vuelto.

Se dieron un abrazo que resultó menos efusivo de lo que ambos habrían esperado. Luego el cura le pidió que le acompañara a la sacristía. Aún tenían algunos minutos antes de que empezara la próxima misa.

—Anda, ayúdame a ponerme la casulla, que tengo que prepararme y no me queda mucho tiempo.

—Vaya, ahora me vas a emplear como monaguillo —dijo Vilches con ironía.

—Menos cachondeo, Vilches, que nos conocemos.

—Qué poco has progresado, monseñor, ni siquiera llevas mitra. Yo pensaba que en el disfraz iba incluido también el báculo.

—No blasfemes o tendré que echarte agua bendita.

—Cómo has cambiado, Pepe, antes la única agua que tomabas era la ardiente.

El cura encendió un cigarrillo y le ofreció otro a su amigo.

—¿Fumas?

—No, gracias. Creía que los curas no podíais fumar, que el tabaco mancha los pulmones,

—Mejor tener el alma limpia y los pulmones sucios quc, al contrario, ¿no te parece?

—Joder con el clero, tenéis respuesta para todo.

—Ya veo que sigues siendo un hombre de poca fe.

—Poca no, amigo, ninguna —replicó Vilches.

Terminado el servicio, y una vez que el *pater* mandó a los feligreses ir en paz, los dos viejos amigos salieron de la iglesia con la idea de tomar un aperitivo. Cuando llegaron a la taberna de Romano Santacruz eligieron una mesa tranquila, al fondo, al pie de las barricas de roble en las que envejecían plácidamente los caldos. No estaba su amigo el cantinero, lo que ambos agradecieron para poder hablar con mayor intimidad. El joven camarero que cuidaba del negocio cuando estaba ausente el patrón les dejó sobre la mesa una botella con dos vasos y una tapita de olivas aliñadas con ajo. A partir de ahí fueron pasándose la palabra de uno a otro, al igual que hacían con el balón cuando jugaban al fútbol de críos, hasta que exprimieron la última gota de la botella. Vilches hablaba de la vida cosmopolita que había llevado, sin dar demasiados detalles ni decir nada comprometido, y Querol le informaba de sus aventuras en el seminario, y de los años de misionero en Mozambique y de meritorio en Roma antes de regresar al pueblo como párroco y profesor de matemáticas en un colegio religioso. Todo iba bien mientras recordaban anécdotas de la infancia. Todo iba bien mientras hablaban de sus amigos, del mar, de los cielos azules de su tierra. Todo iba bien hasta que el padre Querol formuló la pregunta prohibida:

—Dime la verdad, Vilches. ¿Por qué has vuelto? ¿Es por ella, verdad?

6

El día en que Macarena desapareció, Escolástico Ramírez, más conocido como Tico Tachuelas, de dieciocho años de edad y vecino de la localidad, se levantó tarde y con resaca. Se había pasado la noche anterior de jarana con los amigos, fumando y bebiendo. Había llegado a casa de madrugada, y la mañana del día siguiente se le fue retozando entre las sábanas. Se levantó con el tiempo justo para almorzar un guiso de sobras de los días anteriores que para él era aún el desayuno. Con el estómago lleno se tumbó en el sofá a escuchar la radio. Como era verano siempre daban alguna retransmisión deportiva, un partido de fútbol, una carrera ciclista, todo iba bien para ayudar a conciliar el sueño de nuevo. Efecto conseguido. Durmió una larga siesta pese al ruido que hacía su madre con la máquina de coser, con la que ayudaba a llenar la olla de algo con lo que alimentarse. Su padre hacía tiempo que ni estaba ni se le esperaba, fugado años atrás en cuanto se olió la tostada de la miseria.

Bien entrada la tarde se había arreglado, cambiándose de ropa y peinándose los cuatro pelos ralos que, a pesar de su juventud, empezaban a quedarle. Hurgó en los cajones como un roedor tratando de encontrar unas monedas con las que continuar la fiesta, pero no encontró nada. Salió de casa y fue caminando hasta la plaza, con ese bamboleo de caderas asimétricas y descoyuntadas que desplazaban el armazón de su pequeño cuerpo. En los soportales de la plaza se encontró con algunos chavales del pueblo que mataban las horas jugando a las chapas y al balón. No tardaron en llegar unas chicas con las que entablaron conversación y que no les hicieron mucho caso. Tico no recordaba sus nombres, pero afirmaba que algunas de ellas no eran del pueblo, sino que habían venido de visita con sus padres a pasar un día de playa. Uno de los chicos tenía una bicicleta algo destartalada, y estuvieron un buen rato turnándose para dar un paseo en ella. Luego comieron pipas mientras se ponía el sol.

Debían de ser las siete o las ocho de la tarde, no era capaz de precisarlo con exactitud, pero una hora redonda en cualquier caso, porque recordaba el repicar de las campanas de la iglesia marcando el compás del tiempo. Al poco llegaron los amigos de la pandilla. Llevaban un par de bolsas de plástico del supermercado en las que cargaban con latas de refrescos, hielo y un par de botellas de aguardiente que no recordaba bien si era vodka o ginebra. Tico no podía afirmarlo con seguridad porque no veía bien lo que decía la etiqueta y a él todos los destilados le sabían igual. Llevaba semanas pidiéndole a su madre unas gafas nuevas, porque las que tenía se le habían quedado cortas para tanta dioptría que no dejaba de aumentar. La falta de visión crecía de forma inversamente proporcional al cuerpo de Tico, que parecía imposible que tan poca cosa pudiera albergar tamaña ceguera. Y comoquiera que en su casa el dinero era un bien más escaso que el agua en el desierto, tocaba arreglarse con lo que había, y unas gafas mejor graduadas tendrían que esperar.

Con el cargamento de alcohol y algo para fumar, se fueron a las rocas de la escollera, lejos de la mirada de las familias que a esas horas previas a la cena paseaban palmito por el bulevar de la costanera. Allí, mirando cómo rompían las olas contra las rocas del espigón, se pasaron el resto de la tarde riendo y cantando, bebiendo y fumando. Hablaron de chicas y de fútbol, y el pesado de Gúmer se arrancó a cantar un corrido. El Tachuelas recordaba que, además de Gúmer, estaban con ellos Pepe Querol, Romano y Valdivia. No había ninguna chica, nunca querían ir con ellos a un lugar tan apartado. Y no, nadie los había visto, porque los grandes bloques de piedra y hormigón armado los ocultaban de la vista de la playa y del pueblo, aunque si alguien quería comprobarlo bastaría con preguntarles al resto de sus compañeros.

Se fueron de allí cuando se terminaron las provisiones, es decir, cuando ya no les quedaba ni una gota de alcohol y se habían fumado hasta las colillas. ¿La hora? No la recordaba, pero pasaba de la media noche, de eso sí que estaba seguro. Después todos ellos regresaron al pueblo y aún intentaron colarse en la discoteca, pero esa noche no estaba de turno ninguno de los porteros que conocían y no consiguieron que los dejaran pasar. Al ver que esa madrugada parecía que todo el pescado estaba ya vendido, Tico se despidió de sus amigos y decidió regresar a casa. Antes de irse vio cómo Valdivia intentaba ligar con una turista a la que nunca había visto antes. La chica, según el criterio del Tachuelas, era gorda y fea, aunque para Valdivia estaba más que de sobra. Eso fue lo que dijo, «más que de sobra», hasta en tres ocasiones lo repitió, según quedó registrado en el informe policial.

Luego se fue caminando hasta casa. Su madre dormía en el sillón del salón con la radio encendida. Siempre le sorprendía que no se despertase a pesar del ruido estruendoso que salía del aparato. El volumen superaba ampliamente lo razonable, una prueba más de que la sordera avanzaba más rápido de lo que ella pensaba. Más extraño era que ningún vecino protestara, aunque, bien mirado, todos estaban en una edad y un estado que los aislaba del mundo exterior. De hecho, la única vecina que podría molestarse era también adicta a los mismos programas y novelas radiofónicas, por lo que no parecía que la cantinela pudiera incomodarla más allá de poner la segunda voz a su propio receptor.

Fue a la cocina y buscó en la nevera algo para cenar. Encontró unas papas aliñadas con vinagre y aceite, entre las que se podían intuir los restos de un huevo cocido, cebolla y pimiento. Tomó una buena ración, espoleado por el apetito que da fumar y beber en abundancia. Guardó el resto en la nevera, esperando que al día siguiente su madre no le echara cuentas de lo que faltaba en la tartera. Y ya más calmado, con el estómago lleno y saciada el hambre, se fue a la cama.

Tardó en dormirse, y tuvo que ir al baño en un par de ocasiones. Mientras, en la sala, su madre roncaba acompañando el ruido de fondo que salía de la radio. Por fin consiguió enlazar un sueño profundo que lo tuvo bailando con Morfeo hasta bien avanzada la mañana siguiente. Al despertarse, su madre le contó que la chica de los Albanta no había regresado a dormir a casa, y que sus padres estaban histéricos buscándola por todo el pueblo. Esa fue la primera noticia que tuvo de Macarena desde el día anterior, la confirmación de que la joven había desaparecido sin dejar rastro. Sí, ella pertenecía a su grupo de amigos y se conocían desde hacía unos cuantos años. Era una persona muy alegre y muy querida por todos. Y no, no tenía ni idea de qué podía haber sido de ella.

Todo esto fue lo que declaró Escolástico Ramírez, más conocido como Tico Tachuelas, de dieciocho años de edad y vecino de la localidad, durante las investigaciones llevadas a cabo por la policía tras la desaparición de Macarena Albanta.

Y, sin embargo, nada de lo que había dicho era cierto.

7

Aunque todos lo llamaban el castillo de Von Schulle ni era un castillo ni la propiedad llevaba ese nombre. No tenía almenas ni foso. La única característica que lo semejaba a una fortaleza era que se encontraba situado en lo alto de una colina, dominando el mar como si fuera la torre vigía de un imperio medieval. El edificio no tenía un gran valor arquitectónico en sí mismo, ni por su estilo ni por sus materiales valía gran cosa, pero su privilegiada ubicación lo hacía único y lo convertía en la envidia de la localidad. En el portón de acceso una vieja placa de piedra lo bautizaba con un nombre mucho más marinero: Villa Albatros.

Estaba situado a las afueras, próximo ya a la carretera que enlazaba el apacible y aislado pueblito marinero con la civilización. La casa estaba bien protegida por una naturaleza agreste de riscos y peñascos camuflados por una vegetación salvaje de pinos y arbustos, complementada por una alambrada de espino plantada por un propietario celoso de su intimidad. En un lugar en que las puertas de las casas permanecían perennemente abiertas y en el que los secretos se aireaban como si fueran sábanas recién lavadas, la inaccesibilidad al castillo de Von Schulle no hacía más que nutrir la leyenda de lo misterioso y lo prohibido, avivando la imaginación flamígera de los vecinos. Para los niños y los más jóvenes, el lugar adquiría la magia de los territorios de aventuras en los que todo estaba por explorar, en los que todo estaba por descubrir. La guinda del pastel la ponía el señor de la casa, el huraño morador de la mansión de la colina. Decían de él que era alemán, y aunque llevaba media vida habitando el caserón, apenas se le había visto caminar por el pueblo más que en ocasiones muy contadas. Raramente iba al mercado, nunca paseaba por la playa, y jamás pisaba las tabernas. Era alto y delgado, esbelto, rubio y con el pelo siempre muy corto. Ojos azules, penetrantes, alerta como los de un animal depredador, una mirada que escondía una ira poco acostumbrada a la contención, rescoldos de un gran incendio que había dejado regueros de odio, como dejan ríos de lava los volcanes en erupción. No era difícil imaginarse a Von Schulle vestido con un uniforme de oficial nazi, gorra de plato y brazalete rojo con la cruzgamada estampada en negro sobre fondo blanco. Para completar el estereotipo no le faltaba ni el perro pastor —alemán, por supuesto— de orejas puntiagudas y mandíbula potente. Si ya resultaba difícil ver al amo, mucho más lo era ver al perro, al que sólo en ocasiones muy contadas sacaba a pasear con él. Sin embargo, los amenazadores ladridos del animal se hacían bien presentes en los senderos que rodeaban la colina del castillo cada vez que algún despistado se internaba en ellos.

Casi todo lo que se decía del personaje estaba inspirado en la leyenda. La falta de hechos contrastables y precisos que aportaran información real sobre él era el mejor combustible para la fabulación. Con Adolf Von Schulle todo había que fiarlo a la fantasía. Y la fantasía, normalmente, no suele bailar al mismo compás que la verdad. La imaginación, siempre febril y morbosa, inundaba los mentideros de historias descabelladas acaecidas en el castillo, rituales satánicos, orgías depravadas, mazmorras húmedas y herrumbrosas habitadas por ratas y monstruos sacamantecas que en las noches de luna llena salían en busca de niños malos y tiernos con los que hacer ungüentos y fabricar pócimas mágicas. Y hasta había quien afirmaba sin rubor que en el castillo de Von Schulle vivían encerradas por el pérfido señor un puñado de almas en pena que vagaban en cofradía por las habitaciones amuralladas de la mansión, atravesando los gruesos muros del caserón. Y comoquiera que no había testigos que se hubieran adentrado nunca en los dominios del inquietante Von Schulle, el resultado era indefectiblemente el triunfo de lo tétrico y lo inverosímil.

En una ocasión, muchos años atrás, cuando los chavales eran apenas unos mocosos que merodeaban por los alrededores de la adolescencia, Vilches, Valdivia, Tachuelas y el resto de la pandilla habían intentado sin éxito tomar la fortaleza de Von Schulle. Los chicos habían aprovechado el roto de uno de los eslabones de la malla metálica que rodeaba la casa para agrandar el agujero y colarse por él colina arriba en busca de la entrada de la mansión. Pero la aventura duró poco, lo que tardó en salirles al paso el perro pastor que custodiaba la propiedad, ladrando enrabietado, mostrando los colmillos afilados en un monólogo que no precisaba ser docto en lenguas animales para comprender a la perfección lo que trataban de decir. Sólo les salvó del desastre la súbita aparición en escena del señor del lugar que, a cambio de librarles de convertirse en merienda para canes, los fulminó con la mirada más glacial que los chavales habían visto jamás, pues aquel hombre no tenía iris azulados, sino esferas de acero inoxidable. Y como todo lo que sucede en el territorio de la infancia tiende a magnificarse al aplicarle la levadura del paso del tiempo, el recuerdo del fracasado asalto al castillo de Von Schulle habría de convertirse en uno de los momentos estelares de la pequeña historia de la pandilla.

Más de medio siglo había pasado desde ese día y nada parecía haber cambiado en todo ese tiempo. La casa de la colina seguía esbelta y majestuosa, dominando la costa desde su atalaya sobre el acantilado, y seguía siendo un lugar tan misterioso y secreto como antaño, una isla en la que nadie, aparte de su dueño, había puesto un pie. Este, por su parte, mantenía el mismo aspecto de siempre, un porte esbelto y robusto a pesar de que debía rondar ya los noventa que, sin embargo, no habían conseguido doblar su cerviz. Hasta el perro parecía el mismo, descendiente sin duda de los descendientes del que había atemorizado a los chavales tanto tiempo atrás, digno sucesor de la estirpe de cancerberos con un pedigrí tan alemán como el de su patrón. Sólo ellos, los chicos de la pandilla, parecían haber cambiado, encerrados ahora en unos cuerpos viejos y gastados que los convertían en seres irreconocibles. Y además, por si la crueldad del paso del tiempo no fuera suficiente, ni siquiera estaban todos. Faltaba la piedra preciosa engarzada al collar. Faltaba ella, Macarena Albanta.

8

El joven Vilches Galván era un chico reservado, aparentemente serio e introvertido. Pero en realidad se trataba nada más que de una coraza para camuflar su timidez. Cuando cogía confianza y se desinhibía podía ser tremendamente divertido, poseedor de un sentido del humor muy británico, cargado de ironía y sarcasmo, un humor inteligente que hacía reír pero también pensar. Y eso lo convertía en irresistible para las chicas. Todavía era muy joven para saberlo y aún tocaba de oído, pero ya intuía que una mujer le puede perdonar prácticamente todos sus defectos a un hombre, pero jamás le perdonará aburrirse con él. Esa innata capacidad suya para divertir a las damas era su arma secreta, la que lo presentaba como un duro competidor en la compleja jungla de los amores de juventud. Además, venía de la gran ciudad, lo que le daba ese toque urbano, moderno y hasta cierto punto cosmopolita que tanto gustaba a las chicas del pueblo. También era cariñoso en sus afectos, inteligente y generoso.

Con estos antecedentes, más un cierto atractivo físico, no era difícil imaginar que terminaría por llevarse a Macarena. El resto de los chavales de la cuadrilla tenían también sus bondades, pero no dejaban de ser unos muchachos de provincia sin mucho mundo ni mayores ambiciones, suficiente para algunas de sus amigas, pero claramente mejorable para Macarena.

Sin embargo, su personalidad tenía otros atributos más oscuros y peligrosos. Era vengativo, rara vez dejaba una afrenta sin devolver, y lo hacía además con la sangre fría necesaria para que el resultado fuera inapelable. Parecía no tener prisa en cobrarse la venganza, pero una vez decidida era seguro que la llevaría a cabo. También tenía un pronto violento. Cierto que esa violencia sólo la manifestaba en ocasiones muy contadas, pero uno nunca podía sentirse a salvo de ella.

El romance comenzó un par de veranos antes de la desaparición. Eran aún poco más que unos niños, pero ambos tenían la madurez suficiente como para afrontar una relación estable, al menos todo lo estable que puede ser una relación a los quince años. Tiempos en los que un amor eterno duraba lo que duran las eternidades de saldo y ocasión, lo justo para detener el mundo con un simple beso en los labios.

El primero que pasaron juntos fue el mejor verano de sus vidas, el momento en que descubrieron que la vida estaba pintada con una paleta de colores alegres, colores vivos, que maquillaban el gris sucio con el que lo cotidiano parecía querer teñirlo todo. Cuando por fin llegó la hora de hacer las maletas y regresar a la ciudad, Vilches lo hizo con la pena de separarse de la que ya sería para siempre la mujer de su vida, de eso estaba seguro, pero con la maravillosa perspectiva de volver a verla de nuevo muy pronto. A partir de ese día los que tuvieron que armarse de paciencia fueron sus padres, pues ya no hubo fin de semana o festivo en el calendario en que el chaval no insistiera en regresar de visita al pueblo costero. El invierno fue pasando más veloz de lo previsto, entre el ir y venir de cartas que, por un tiempo, convirtieron al cartero en el personaje más esperado y popular de sus vidas. Unos días en Navidad y otros en Pascua fueron la antesala perfecta a un nuevo y largo verano, un verano en el que las temperaturas alcanzaron cotas estratosféricas, y no precisamente por exceso de sol.

Ella, mientras tanto, seguía con su vida tranquila en la villa marinera, estudiando en la escuela, siempre con buenas calificaciones, sin dar ningún disgusto a sus padres. La chica ideal siempre estaba dispuesta a ayudar en lo que se le solicitara, ya fuera en el vecindario, en la parroquia o en el grupo de teatro *amateur* con el que colaboraba. Contagiaba alegría, desprendía vibraciones y energía que hacía que a su paso las penas desaparecieran. Y así, entre tranquilas jornadas en el plácido pueblito a orillas del mar, fue pasando el tiempo a la espera de que llegara de nuevo el verano y con él su festival de sentimientos y pasiones, de risas, amores y diversión. La bendita juventud, en definitiva.

El de Macarena y Vilches era el primer romance que se producía entre integrantes de la cuadrilla de amigos, y la situación iba a requerir de la habilidad y la comprensión de todos para no resultar incómoda. Afortunadamente, la manejaron con generosidad y con maestría, haciendo fácil la convivencia, y así pudieron seguir disfrutando de su amistad compartida sin que tuvieran cabida los lodos de la envidia que inefablemente terminan por emponzoñar la estabilidad y la unidad del grupo. Era la primera vez que una situación semejante se producía, la primera en que dos amigos del grupo daban un paso más allá.

Los chicos disfrutaban de sus partidos de fútbol en la playa, de las excursiones por los alrededores del pueblo, de las partidas de naipes, del baile, de la música, de las meriendas en el campo y las largas conversaciones sobre la arena al atardecer, de los juegos bajo los soportales de la plaza a resguardo de la solana, de las historias que sus mentes rebeldes ardientes de imaginación inventaban sin cesar, de los planes de futuro para las vidas de todos ellos cuando por fin terminaran la escuela, algo que ya tenían a la vuelta de la esquina. Definitivamente, fueron tiempos felices a los que la llama del primer amor vino a poner la dulce guinda al pastel. Quién podía imaginar entonces que en apenas unos meses todo iba a saltar por los aires, dejándolos sumidos en el más profundo desconcierto.

9

Los hay que heredan unos ojos azules y los hay que heredan una farmacia. Y los hay que heredan ambas cosas. Gumersindo Azpeitia Laperousse, gaditano de padre vasco y madre francesa, era uno de esos afortunados. De su madre heredó los iris azulados y de su padre la botica. Lo demás le vino dado. Y no era poco. Una farmacia era un seguro de vida, al fin y al cabo, enfermos los va a haber siempre, solía decirle su padre, y tampoco faltarán los hipocondriacos que sin estarlo consuman fármacos como bálsamos de Fierabrás con los que curar males imaginarios. Los ojos azules, por su parte, azules de gata francesa, eran un seguro de seducción, sobre todo si iban acompañados del gracejo andaluz. Hay mezclas explosivas que son garantía de éxito, y esta era una buena combinación.

Nunca le faltaron pretendientes a Gúmer Azpeitia, que en sus mejores años cambiaba de novia como de calcetines. Loquitas las traía a todas, afirmaban sus amigos, chicas del pueblo que suspiraban por las miradas cristalinas del chaval. Los años de la Facultad, en Sevilla, no hicieron más que confirmar la fama de mujeriego del futuro boticario, que parecía más empeñado en doctorarse en ciencias amatorias y carnales que en los fundamentos de la farmacología. Y como sea que, en ocasiones, no hay tiempo para todo y se hace necesario establecer una prioridad, Gúmer antepuso sus dotes de Casanova a los estudios, que tuvieron que esperar casi una década para completarse. Cierto era que tampoco había mucha prisa, porque el negocio familiar esperaba pacientemente a que el heredero aprobara hasta la última asignatura y recibiera el diploma que lo acreditaba como licenciado y lo habilitaba para el ejercicio profesional. Y aunque el trabajo había perdido parte de su halo romántico y el farmacéutico ya no era el científico que se pasaba las horas en el laboratorio combinando hierbas y elaborando pócimas curativas, sino alguien que despachaba medicamentos ya envasados en cuya confección no había tomado parte, lo que no había cambiado era la magia de la escenografía, las viejas alacenas de madera con los botes de porcelana blanca alineados en formación, el olor indescriptible y acogedor de la farmacia, la cruz verde de resplandeciente neón en la fachada desempeñando solventemente su papel de faro que guía a los navegantes enfermos reales o imaginarios en la búsqueda de remedios a sus males.

Sin embargo, desde que se puso la bata blanca parecía haber perdido buena parte de sus superpoderes seductores, porque abandonó la fiesta para centrarse en su profesión, que era tan reposada como rentable. A ello contribuyó también la irrupción en su vida de Remedios Mudela, una chica del pueblo que compartía juegos y travesuras con los integrantes de la pandilla y que, pasados los años, consiguió cortarle las alas al crápula del boticario y hacerle sentar la cabeza hasta convertirlo en un abnegado marido y padre de familia. La misma historia tantas veces repetida que, esta vez, terminaba con final feliz.

Cuando Vilches regresó al pueblo hacía ya algún tiempo que los padres de Gúmer Azpeitia habían fallecido. La suya había sido una bonita historia de amor, intensa, pero mucho más sencilla de lo que podría parecer entre dos personas que vivían en países diferentes, pues, en realidad, vivían a apenas unos cientos de metros el uno de la otra, los que separaban Irún de Hendaya río Bidasoa de por medio. El trabajo de él y la delicada salud de ella, necesitada de un clima más benigno, con temperaturas más suaves y sol en abundancia, los llevaron al sur. Allí abrieron el negocio familiar, la farmacia Herederos de Azpeitia, continuadora de una saga de boticarios que se remontaba a principios de siglo. Ese era el destino que le esperaba al joven Gúmer, cuarta generación de profesionales y primero nacido en la nueva tierra de adopción.

Si la mezcla cultural no fuera ya de por sí lo suficientemente variada, él quiso sumarle además una pasión adicional: la música tradicional mexicana. Corridos y rancheras que entonaba a todas horas, preferentemente cuando había vino de por medio, para desesperación de los que le rodeaban. Tan hartos estaban de oírle entonar que seguía siendo el rey, que los amigos no tardaron en apodarle «el monarca de la aspirina». Él, en lugar de tomárselo a mal, abría todo el pecho para echar ese grito y empeñar su palabra de honor en afirmar lo lindo que es Jalisco. Y si en la universidad los chavales más parranderos se apuntaban a la tuna para rondar a las chicas con clavelitos de mi corazón, a Gúmer Azpeitia no se le ocurrió mejor idea que formar un mariachi.

Al principio eran tres, un sevillano que tocaba la trompeta en la banda municipal, un despistado que aporreaba el guitarrón, y el farmacéutico que cantaba a pleno pulmón. La primera inversión del trío fueron unos trajes de charro de segunda mano comprados en una tienda de disfraces que, a decir verdad, les quedaban infames. Aunque para protegerse del diluvio contaban al menos con unos sombreros tan grandes que a vista de pájaro semejaban una plaza de toros. El trío pronto fue cuarteto, y luego el cuarteto, quinteto, hasta que finalmente se formó un mariachi que ni en la Garibaldi se había visto cosa igual. Y así, entre ese amor apasionado que anda todo alborotado por volver, les fue bonito a la cuadrilla que ensayaba en la rebotica para estupor de los clientes que acudían a comprar pomadas y lavajes, y desesperación de los vecinos que a quien adoraban era a la Niña de la Puebla y al Sabicas.

Los integrantes de la pandilla que se quedaron en el pueblo veían a su amigo Gúmer con la benevolencia del que tolera una excentricidad a un compañero que se había ganado el derecho a ese capricho tras años de estudios universitarios y éxito económico y profesional. Pero el único de ellos que se sumó a las filas del mariachi fue curiosamente el menos macho, alma de folclórica, la de Jacinto, que premonitoriamente tenía nombre de flor, y que bebía los vientos en secreto por los ojitos de querube del boticario, de quien siempre estuvo enamorado. Pronto decidió Jacinto que al caer la noche era mejor calarse los tacones y transformarse en espíritu de gacela herida, en la más estrafalaria, en la mujer viciosa y perdida. En *la Perdularia*.

10

Había visto tantos cadáveres a lo largo de su carrera que podría escribir un manual para quitarse la vida. Asignado al departamento de homicidios desde el mismo día en que abandonó la academia, el inspector Retamares se había encontrado con la muerte cara a cara en tantas ocasiones que formaban ya una pareja de baile estable. Retamares sabía que había crímenes perpetrados a ritmo de tango, historias de amantes despechados, rechiflaos en su tristeza. Otros se cometían con la elegancia de un vals, asesinatos de cuello blanco por un puñado de dinero. Y también había, cómo no, rock and roll. Estos eran los que más le gustaban al inspector, en ellos se liberaba toda la tensión y las afrentas acumuladas con los años, todo el odio somatizado a lo largo del tiempo salía a borbotones en un estallido incontrolado de destrucción, una *balasera* a ritmo de metralleta, de noventa puñaladas o de bastonazos en la cabeza. Todo ese catálogo había visto el policía, y por eso nada le espantaba, pocas cosas le sorprendían y ninguna le impresionaba, porque él sabía que la clase y el estilo no se pueden comprar.

Tenía, eso sí, mal perder. No le gustaba que el criminal se saliera con la suya, pero no tanto por el reproche moral como por la convicción estética que le llevaba a defender que el bien siempre gana al mal, que hay un orden global que no se debe alterar, porque de lo contrario la música dejaría de sonar y ya no habría danzas que bailar.

Le habían asignado como ayudante a un tipo discreto y servicial, un chaval que podría ser su hijo si no fuera porque el inspector Retamares aborrecía a los hijos, a los de los demás y a los que él nunca tendría. Solitario, ácido como la lima verde, misántropo, antipático y misógino, Retamares jamás había amado a nadie, aunque se había casado por inercia. A él le bastaba con aparearse de vez en cuando para aliviar tensiones. Y cuando lo hacía, en sus intermitentes épocas de celo, regresaba al trabajo más escéptico y cínico, como si el trance de la carne compartida le hubiera afilado los colmillos del desprecio por el género humano. Su joven ayudante, ya fuera por necesidad de supervivencia, ya fuera por pura e insólita simpatía, pronto aprendió a tomarle la medida. Sabía cómo tratarle para no quitarle el bozal al lobo, cómo darle la razón sin adularlo, y cómo quitársela sin que se diera cuenta, hurtándosela como el carterista que te despluma mientras atrae tu atención hacia otro lado. Juntos formaban un buen equipo, lo importante era no enfadar al jefe, y para eso bastaba con algo tan elemental como tener claro quién es el que manda.

A pesar del carácter arisco del inspector, había que reconocer que se aprendía mucho a su lado. Más allá de su permanente estado de cabreo, Retamares era un tipo brillante que combinaba una estricta metodología de trabajo con una intuición sorprendente. De ahí que sus casos se contaran por éxitos, y que gozara de la admiración y el respeto de sus compañeros. Le gustaba su trabajo, hasta el punto de que había renunciado a varios ascensos por no abandonar la calle, la adrenalina de la sangre y el espanto de un cadáver antes de que lo cubriera la manta térmica. Se estremecía sólo de pensar en verse encerrado entre cuatro paredes, en un despacho en el que no haría otra cosa que firmar papeles y aguantar a políticos y a policías de más alto rango, pues sagaz como era se había dado cuenta de que cuanto más asciende uno en la escala profesional, y al contrario de lo que pueda parecer, más jefes se tienen. Por otro lado, el sueldo de funcionario tampoco variaba tanto por ponerle una estrella más en las hombreras, así que no le encontraba sentido alguno a ser promocionado a responsabilidades más altas. Se libraba así de paso de tener que meter en cintura a alguien como él, pues si bien era cierto que su expediente estaba jalonado de éxitos y asuntos resueltos, también lo era que sus métodos no eran precisamente ortodoxos. No había que provocarle mucho para que desenfundara el arma a las primeras de cambio, y tampoco era necesario insistirle demasiado para que la usara. Hasta la fecha había tenido suerte, y en todas las ocasiones en las que había disparado había una razón de peso para hacerlo. A él, a diferencia de algunos de sus compañeros, esto no le había causado nunca trauma alguno ni conflicto moral. Las reglas eran esas y él jugaba de acuerdo a ellas, nadie podría acusarle de haberlas escrito él mismo. Y si alguien no estaba conforme lo tenía muy fácil: bastaba con ser más rápido y disparar primero.

11

Las Bodegas Santacruz eran lo más parecido a un oasis que había en el pueblo. En medio del tórrido calor del verano, allí dentro siempre estaba fresco. Las grandes barricas de madera y las tinajas de barro guardaban vinos generosos, y en la rudimentaria cocina, consistente en poco más que una plancha alimentada por una pequeña bombona azul de camping gas, se despachaban montaditos, chacinas y algún guiso marinero de los de toma pan y moja. Además, se podía cantar, y nunca faltaba quien se arrancase en cuanto se escuchaba una guitarra. Se fiaba a los clientes de confianza, y los muchos años de solera del establecimiento no estaban reñidos con una limpieza impecable. Por si todo ello fuera poco, el cantinero era simpático y bonachón. Su imagen, con su delantal de rayas horizontales verdes y negras y la tiza blanca en la oreja para apuntar las consumiciones en la barra de madera, era una de las postales más características del lugar.

Las bodegas ocupaban un viejo almacén en el que se habían despachado vinos al por mayor y a granel desde hacía muchos años. Romano Santacruz había comprado el local con los ahorros que le dejaron sus padres en herencia y con una hipoteca que se había convertido en una compañera de por vida, como los amores eternos. Cierto es que no le hacía falta otra tasca al pueblo, que si de algo andaba bien servido era de tabernas, pero por mucho que aumentara la oferta nunca era suficiente para cubrir una demanda insaciable que parecía infinita. Ante ese panorama no le resultó difícil hacerse un hueco en el mercado, tan sólo había que mantener la personalidad del local, sin estropearlo con reformas innecesarias y de dudoso gusto, ofrecer buena calidad en los pocos productos que se despachaban y, sobre todo, no perder nunca la sonrisa y el sentido del humor.

Romano Santacruz se había pasado la vida en las cantinas, primero como cliente y luego tras el mostrador. En los tiempos de la pandilla era ya uno de los más faranduleros, parecía no tener casa el muchacho, siempre risueño y de buen humor, dispuesto a embucharse otro traguito y a hacer gasto en cualquier bar. Se casó con una chica del pueblo. La boda fue una gran fiesta que duró lo que tardaron en comerse y beberse todas las provisiones que, por su abundancia, podrían haber alimentado a un ejército durante semanas. Ella era de espíritu alegre, una persona simpática que no tenía preocupaciones más allá de trabajar y cuidar del hogar. Venía de una familia humilde en la que las habichuelas no saltaban solas a la cazuela, y en la que había días en que no había forma de llenar el puchero. Eso la marcó profundamente y, como si se tratara de una Escarlata O'Hara de las marismas, a la virgen del Rocío puso por testigo de que nunca más volvería a pasar hambre.

Lo bueno de tener una tasca es que, por mal que vayan las cosas, nunca ha de faltar género en la despensa que llevarse a la boca. Con estos ingredientes y poco más habían cocinado una vida plácida que ahora, llegada ya la edad de jubilación, los obligaba a pensar si lo que deseaban era continuar con la rutina de varias décadas o traspasar el negocio y dedicar su tiempo a cuidar nietos y dejar pasar la tarde a la fresca charlando con los vecinos y comentando el último partido de su equipo. Ante semejante panorama no era de extrañar que Romano Santacruz se resistiera a abandonar su trabajo que, a estas alturas, más que una obligación, era ya una parte indisociable de su vida. En sus bodegas, además, los horarios los marcaba él y, tras tantos años, y con una clientela leal y fija, podía permitirse abrir cuando le apetecía y echar la persiana de cierre cuando le daba la gana. Así que allí seguía, despachando cañas y vinos, a pesar de que el minutero de la edad había dado ya más vueltas de las necesarias para permitirle acceder al ansiado territorio de la jubilación.

Con semejante trayectoria a sus espaldas parecía imposible que, a estas alturas, pudiera ocurrir algo en la cantina capaz de sorprender al viejo Santacruz. Por sus mesas y toneles de madera con solera habían pasado todo tipo de clientes, incluidos turistas, cantaores flamencos, vecinos, jóvenes y viejos, futbolistas, actores, hasta un domador de elefantes que acudía a diario cada vez que el circo en el que trabajaba levantaba la carpa en el pueblo. Todo creía haberlo visto ya el tabernero y para todo creía estar preparado. Y, sin embargo, lo que ocurrió aquella tarde, cuando más apretaba la canícula y se disponía a echar el cerrojo para descansar hasta que aflojara el calor, era algo que jamás imaginó que pudiera suceder. Al principio pensó que se trataba de un incauto que tenía la pretensión de que le sirvieran una cerveza bien fría cuando ya había comenzado a apagar las luces del local. De esos había visto ya unos cuantos. Lo que le sorprendió fue que este insistiera con la tranquilidad de quien sabe que el posadero hará lo que él diga. Ya se resignaba Romano Santacruz a no poder tener la fiesta en paz, cuando otra pregunta del forastero lo obligó a quitarse las gafas y restregarse los ojos:

—¿Es que aquí no se les da de beber a los viejos amigos?

12

El día en que Macarena desapareció, José Querol, de dieciocho años de edad y vecino de la localidad, se levantó temprano para realizar sus oraciones. Desde hacía ya algún tiempo se había despertado en él un sentimiento religioso que lo atormentaba amargamente, porque sus actos eran de todo menos piadosos. Le gustaba la fiesta y la noche, tomaba más de lo razonable, no se saltaba un vicio y, por si ello fuera poco, era un fornicador desbocado. Así que la templanza, el sacrificio y la penitencia que ordenaba la Santa Madre Iglesia estaban tan alejadas de él como el día y la noche. Y, sin embargo, una fuerza interior muy sólida le decía que su camino era el de servir a Dios. Sea como fuere, Pepe Querol era aún muy joven para elegir un único camino y abandonar el resto de posibilidades que la vida le ponía ante sí, como si fuera un muestrario de delicatessen a las que le resultaba imposible renunciar.

Se levantó, pues, temprano para rezar y practicar una hora de meditación en ayunas, tal como le había recomendado un amigo seminarista. Esa hora de reflexión comenzaba muy bien, con la concentración y la profundidad que exige plantearse quiénes somos, adónde vamos y de dónde venimos. Pero inefablemente, a los pocos minutos de introspección, el chaval dejaba de prestar atención a tan conspicuas cuestiones para centrar su pensamiento en asuntos más banales y placenteros como, por ejemplo, cómo seducir a la nueva vecina morenita que pasaba las vacaciones en el pueblo junto a sus padres.

El resto de la mañana lo pasó entretenido en el trastero de casa, entre viejos baúles, libros que ya nadie leería y muebles viejos a los que no aguardaba otro destino que la basura o el carromato de un buhonero. Salvó algunas cosas a las que creía que podría darse un uso nuevo, descartó otras y así, antes de la hora del almuerzo, el desván volvía a ser un lugar algo más ordenado y transitable.

Pepe vivía en una familia acomodada que, sin llegar a ser rica, no había conocido nunca las estrecheces de la miseria, el vértigo de la cuenta vacía al llegar a final de mes. La madre estaba muy ilusionada con la deriva espiritual de su hijo, y le animaba con insistencia a explorar el camino del sacerdocio. Quizás ayudaba el hecho de que el chaval tuviera dos hermanos ya casados, procreando a buen ritmo, con lo que el cupo de los nietos y la ilusión de ser abuela ya lo tenía la señora bien cubierto. Al padre, por su parte, le daba totalmente igual. Él no era creyente y le resultaban ridículas las beaterías y los sermones, pero con tal de que el chico se quitara de sus vicios y de las malas compañías y no le diera disgustos, todo le parecía bien. Además, si el niño tomaba los hábitos era una boca menos que alimentar, de hecho, no tendría que pagarle ni los estudios, que de adoctrinarle en los principios de la fe y otros latines ya se encargarían en el seminario.

Ese verano era clave para decidir el camino por el que transitaría el resto de su vida, por vez primera se encontraba ante una encrucijada vital de difícil vuelta atrás. Terminada la enseñanza secundaria debía elegir entre cursar una carrera universitaria y continuar como seglar o atender a la llamada y tomar los hábitos. Y cada vez quedaba menos tiempo para tomar la decisión. Por eso, desde hacía unos días, cada vez que la familia se juntaba a la mesa terminaban por convertir la comida en una reunión de trabajo para analizar desde todos los ángulos cuál había de ser la decisión correcta. Al final todos los caminos conducían a la misma conclusión: el chaval debía mirar dentro de sí y hacer caso a lo que le dictara su corazón. El problema era que, cada vez que intentaba hacer el ejercicio, el corazón sólo le mostraba los pechos de las chicas dorándose sobre la arena de la playa.

Terminado el almuerzo se tumbó un rato a descansar. El día había traído un calor asfixiante que, a esas horas de la sobremesa, impedía hacer nada de provecho. Tras un duermevela que no duró más allá de una hora, Pepe Querol se puso el bañador, se echó una toalla al hombro, y bajó a la playa a darse un baño y disfrutar del frescor del agua batida por vientos que venían de levante. No encontró a ninguno de sus amigos, pero sobre la arena había cuerpos de sobra para no dejarle indiferente y mantenerle entretenido un buen rato. Entró y salió del agua en varias ocasiones, buscando aliviar un calor que ya no estaba muy seguro de si se lo proporcionaban las altas temperaturas o la desnudez de los cuerpos. El caso es que, como si llevara en su interior un reactor nuclear, necesitaba enfriar el núcleo para que no entrara en ebullición.

Cuando se cansó de chapotear y enfrentar olas regresó a casa. No encontró a nadie, sus padres habían salido y la casa estaba en silencio y en penumbra. Fue a la nevera, bebió un trago largo de agua fría y se metió en la ducha para quitarse la arena y la sal que llevaba impregnadas en la piel. Luego se vistió, aunque recuerda que tardó un buen rato en hacerlo porque no tenía muy claro qué ponerse. Eligió por fin unos tejanos y una camisa de lino en tonos pastel. Se peinó con esmero, como si fuera a hacerse un retrato, se salpicó la cara y el cuello con una colonia fuerte y varonil, se miró al espejo una vez, luego otra, y otra más. Al llegar a la puerta volvió a mirarse en un espejo de cuerpo entero que colgaba en el recibidor. No debió convencerle en exceso lo que vio, porque dio media vuelta, regresó a su habitación y se cambió de camisa. En esta ocasión eligió una estampada en tonos azules, muy marineros. Repitió la operación cosmética, sólo que esta vez aprovechó también para aplicarse una crema rejuvenecedora y otra de contorno de ojos que pertenecía a su madre y que compartían espacio con los cepillos de dientes en una estantería del baño.

Cuando por fin se decidió a salir callejeó por el centro del pueblo hasta llegar a la plaza mayor. Allí se encontró con sus amigos Gúmer, Valdivia, Romano y el Tachuelas, que comían pipas bajo los soportales. Tenían bebida y cigarrillos de sobra para todos, así que en vista de que la plaza se estaba llenando de niños pequeños ruidosos y gritones, decidieron ir dando un paseo hasta la escollera y sentarse allí, lejos de las miradas de los mayores, a beber y a fumar. No, no era la primera vez que lo hacían, de hecho, era habitual que antes de salir de marcha pasaran un rato entre los grandes bloques de piedra del espigón. De este modo podían comenzar la noche con los depósitos de alcohol cargados para continuar la farra sin necesidad de arruinarse pagando las copas que servían en los bares y en la discoteca. También reconocía Querol que, a veces, fumaban algún porro, algún canuto de marihuana o de chocolate, pero nada fuera de lo normal, según decía en su descargo, lo habitual que hacían todos los chavales de su edad.

De la escollera, agotadas las provisiones, regresaron al centro del pueblo, donde deambularon por la zona de bares en la que se juntaban los jóvenes, pero no les gustó el ambiente, mala música, nadie conocido, y decidieron probar suerte en la discoteca. Esa noche la entrada estaba cara, y no conocían a nadie que los dejara pasar gratis. De hecho, Pepe no entendía por qué algunas veces las puertas de la discoteca estaban abiertas de par en par sin necesidad de pasar por caja, y otras te cobraban y no te incluían ni la consumición. Tampoco entendía por qué se seleccionaba a la gente a la entrada, franqueando el paso a unos y rechazando a otros por su ropa o su estilo. Y mucho menos comprendía esa obsesión enfermiza con los zapatos, como si todos los porteros de discoteca del mundo fueran unos fetichistas.

En todo caso, él se fue pronto, porque entabló conversación con la vecina morenita de pestañas largas que agotaba sus últimos días de vacaciones. Se fueron a dar un paseo para explorar juntos los rincones coloniales del pueblo y, si todo iba por buen camino, explorar también sus cuerpos. Sus amigos, entretanto, se quedaron charlando a las puertas del local, en una especie de sucursal al aire libre de la discoteca que se formaba en la explanada del aparcamiento. No volvió a verlos hasta el día siguiente, porque la noche se dio bien y la chica de las pestañas largas quiso conocer todos los secretos del lugar, lugareños incluidos, y Pepe Querol se prestó gustoso a ello por educación y cortesía, según afirmó, ofreciendo a la turista la mejor imagen posible de la localidad.

Aún se dedicó algunas alabanzas más a sí mismo y a sus artes amatorias, pese al resignado gesto de escepticismo e indiferencia de su audiencia, pero su vanidad no le permitió interrumpir ahí su relato, soberbia y jactancia de la que se arrepentía al llegar el nuevo día, y que le obligaba a realizar penitencias y actos de contrición más propios de un monje que de un Casanova, que algo de ambos tenía el muchacho. Cuando regresó a casa se fue directo a su cuarto, y se metió en la cama con la viva imagen en su retina del cuerpo que acababa de tener entre sus brazos.

A la mañana siguiente, y tras sus oraciones matinales, fue su madre la que le informó de los sucesos ocurridos el día anterior y que presagiaban largas jornadas de búsquedas y nerviosismo.

Se quedó pensativo con la taza de café con leche en la mano y entonces exclamó: «qué extraño, no es propio de Macarena desaparecer así, sin avisar».

Con algunos matices más y ligeros comentarios que no importaban al asunto que se estaba tratando, esto fue lo que declaró José Querol, de dieciocho años y vecino de la localidad, durante las investigaciones llevadas a cabo por la policía tras la desaparición de Macarena Albanta.

Y, sin embargo, nada de lo que había dicho era cierto.

13

—También es mala suerte, joder.

El inspector Ildefonso Retamares lo había dicho sin pensarlo, tal como se le vino a la mente.

—¿Te refieres a lo de la chica desaparecida? —le contestó su ayudante.

—No, me refiero a mí mismo. También es mala suerte que tenga que quedarme sin vacaciones por culpa de este caso. Y conste que la pobre chica no tiene culpa de nada, o sí, porque como se haya escapado sin avisar a nadie, te juro que la encuentro y le vuelvo la cara de un guantazo. Me refiero al imbécil del jefe, al que le ha dado igual que tenga los billetes y el hotel ya pagados y a mi santa con la maleta ya hecha. «En un par de días seguro que lo solucionas y después te puedes ir donde quieras», me ha dicho el muy subnormal, como si no me oliera que un caso de estos va para largo, que estas cosas no se resuelven en dos días. Pero, en fin, hay que ganarse el sueldo y esto es lo que hay, así que no me queda otra que quejarme y pagarlo contigo, que eres el que tengo más o mano y además eres mi subordinado, así que te aguantas y te jodes.

—Por mí no se preocupe, inspector, que soy buen fajador. Además, le entiendo perfectamente, si me lo hace a mí me cago en sus muertos.

—Si es que en verano nunca pasa nada, y para una vez que pasa tiene que ser en pleno agosto y un par de días antes de que coja las vacaciones, como si no hubiera mejores momentos para desaparecer, coño. Pues nada, a lo nuestro, cuanto antes empecemos mejor, a ver si se produce un milagro y solucionamos este asunto antes de que termine la semana. Venga, manos a la obra, vamos a ver lo que tenemos.

El inspector Retamares y su ayudante pasaron la siguiente hora leyendo todos los informes que les habían hecho llegar y repasando lo poco que se sabía de los hechos. El atestado narraba escuetamente que, en la mañana del cinco de agosto, un matrimonio de apellido Albanta, vecinos de la pequeña localidad pesquera, había acudido al cuartel de la policía local para denunciar la desaparición de su hija Macarena, de diecisiete años, de la que no tenían ninguna noticia desde hacía más de veinticuatro horas. La chica no había regresado a dormir a casa y nadie parecía haberla visto. La madre, que presentaba signos evidentes de estar sufriendo un ataque de histeria y ansiedad, aseguraba que se había pasado la noche recorriendo el pueblo y preguntando a cuantos vecinos se encontró. La chica no se había llevado ropa, ni dinero, ni tan siquiera la documentación. En el momento de su desaparición vestía un sencillo vestido de algodón blanco sobre un bikini con motivos marinos en tonos turquesa, y unas sandalias de verano poco apropiadas para caminar grandes distancias. El informe añadía que era la primera vez que una ausencia similar se producía y que, al parecer, la chica era una buena hija que gozaba de la simpatía de todos cuantos la conocían.

El sargento al mando del cuartelillo de la policía local había accedido a atender la petición de registrar la denuncia, aun cuando en su opinión resultaba un poco precipitado por no haber transcurrido el suficiente tiempo desde la desaparición, pero ante la actitud insistente y desesperada de la pareja, y muy especialmente de la madre, había decidido tramitarla y poner el caso en manos de la comisaría de la capital especializada en tales sucesos, pues era obvio que semejante asunto les quedaba demasiado grande para sus medios y sus conocimientos. Así pues, había reunido la información disponible y la había enviado a la central con el convencimiento de que ellos sabrían cuál debía ser el mejor proceder, y añadía que gustosamente quedaba a su disposición para aportar cualquier información o proporcionar cualquier ayuda que fuera requerida, etcétera, etcétera.

Esto era, en líneas generales, lo que decía el informe que había caído esa mañana en la mesa del despacho del inspector Retamares en el momento más inoportuno, y que le había trastocado sus planes de vacaciones. El informe iba acompañado de un plano de la localidad y un mapa de la zona ilustrado con algunas fotos que mostraban la belleza y excelencia del lugar, es decir, que el sargento les había adjuntado de paso un folleto turístico del pueblo.

—Desde luego el tipo este tiene los cojones cuadrados —dijo el inspector— parece que me está proponiendo que cambie mis planes para el veraneo.

—La verdad es que lo de adjuntar un folleto turístico a un atestado policial no lo había visto nunca, jefe. Será eso que llaman la guasa del sur.

—Pues será eso.

Esa misma tarde, cuando el sol ya había terminado su jornada, el inspector Ildefonso Retamares llegó al pueblo con una pequeña maleta y ganas de concluir el trabajo cuanto antes. Con él viajaba su ayudante, que fue el que se encargó de los trámites más engorrosos del alojamiento. Habían reservado en un modesto hostal al lado del mar que, a pesar de su humildad, resultó ser un lugar acogedor, limpio, bien situado y regido por personal amable. Las dos habitaciones que reservaron daban a la playa, ofreciendo las vistas de una marina pintada por el mejor acuarelista.

—¿Ve cómo al final la cosa no iba a ser tan mala, inspector? Con un poco de suerte hasta nos da tiempo a darnos un baño antes de irnos.

Lo primero que hicieron una vez instalados fue acudir a la comandancia de la policía local para presentarse y entrevistarse con el sargento al mando, el del folleto turístico. Se encontraron con un tipo de aspecto bonachón, tranquilo como un perro pachón, embutido en un uniforme que, pensó el inspector, debía estar hecho a medida, pues no creía que los fabricaran en tallas tan grandes. Se llamaba Manolo Gombo.

Los recibió con cordialidad, como correspondía a un colega de profesión, y con una amabilidad que a los de la capital les pareció inusual. Tras un efusivo abrazo y un café al que fue imposible decir que no, entraron en materia. El sargento Gombo les amplió lo poco que contenía el informe que les había enviado, básicamente porque no había mucho más que añadir. En el pueblo nadie estaba acostumbrado a este tipo de hechos, y este había causado un gran shock en toda la comunidad. Aquel era un lugar tranquilo, casi paradisiaco, en el que los únicos representantes de la ley que podían tener faena eran los inspectores de Hacienda, pues era la economía sumergida la que paradójicamente mantenía a flote a la región. Y probablemente a todo el país, pensó el inspector. Pero no dijo nada.

—Es lo que tiene la voracidad fiscal —se justificó el sargento demostrando sus conocimientos de economía y sobre todo de sentido común— cuando los recaudadores se pasan de la raya, la respuesta de la gente es defender lo suyo y no declararlo. No esperen que les den factura, inspector, aquí eso no se estila demasiado.

La chica, continuó su relato el sargento Gombo, era muy querida en el pueblo, una niña encantadora a la que todos habían visto crecer y hacerse una jovencita extraordinariamente atractiva. Era buena estudiante, con una gran habilidad para los números y los conceptos abstractos. Estaba ya a punto de ir a la universidad, un año más en la escuela y tendría que elegir una carrera. La joven no tenía muy claro si matricularse en Físicas o en Matemáticas, aunque sus padres suspiraban porque eligiera una ingeniería, la que ella quisiera. Tenía una pandilla de amigos con los que salía con frecuencia, pero siempre por el pueblo y sin armar lío, unos chavales muy sanos que ni fumaban, ni bebían, ni se drogaban, no como hacían los golfos de ciudad. A esos sí que hay que tenerlos vigilados, dijo el sargento con desprecio, en los pueblos no hay maldad, pero en la ciudad...

El inspector era carne de asfalto, un urbanita irredento nacido en un barrio del extrarradio de la capital, en el que había tanta bondad y solidaridad como en cualquier otro lugar, pues si algo había aprendido en su ya larga carrera de policía es que la maldad es consustancial al ser humano, y lo mismo aparece en un estercolero que en un vergel. Pero no dijo nada, él no había ido allí a debatir sobre filosofía de la conducta humana, sino a resolver un caso, el de la desaparición de una chica sin motivo alguno para irse y sin enemigos que quisieran hacerle daño.

Siguiendo su habitual método de trabajo, el inspector Retamares hizo una lista de todas las personas del entorno de la desaparecida. La experiencia le había demostrado que, en un alto porcentaje de los casos que había resuelto, el responsable era alguien muy cercano a la víctima, alguien de su entorno. Sin embargo, en este caso todo el mundo parecía descartar esa hipótesis, era inconcebible que alguien de la pacífica localidad le hiciera daño, así que una de dos, o la chica tenía razones secretas para fugarse, o alguien había venido de fuera para llevársela o para asesinarla. Por ahí era por donde había que empezar, aseguraba con vehemencia el sargento de la policía local.

Retamares, sin embargo, fiel a su estilo, no hizo caso y continuó con su metódica investigación, entrevistando en primer lugar a los padres de Macarena y a continuación a su círculo más cercano de familiares y conocidos. Solicitó un listado con los nombres de los integrantes del grupo de amigos con los que la chica pasaba la mayor parte de su tiempo. En él estaba Remedios Mudela, a la que todo el mundo atribuía por unanimidad la etiqueta de mejor amiga de la desaparecida; Vilches Galván, un chico de la capital que acudía al pueblo como veraneante desde hacía varios años, y que estaba tan integrado en la vida de la villa que todo el mundo lo consideraba como un vecino más del lugar; Evaristo Valdivia, hijo y nieto de pescadores que faenaba acompañando a sus mayores desde bien niño; Romano Santacruz, que anunciaba a todo el mundo que iba a abrir una taberna y aún no era ni mayor de edad; Pepe Querol, un guaperas que se llevaba a las chicas de calle, al igual que Gúmer Azpeitia, el otro gallito del grupo que iba para boticario; Jacinto García, una especie de flor de otoño con el sexo cambiado. También estaba un joven algo deforme al que, decían las malas lenguas con ingenio sureño, le faltaba media patata para el kilo. Y ya más alejados aparecían los nombres de otros personajes de la función que no debían perderse de vista, pues eran lo suficientemente extraños como para ser considerados sospechosos. Entre ellos destacaba la figura de un caballero alemán, Adolf Von Schulle, de turbio e incierto pasado, y que vivía aislado como un ermitaño en una casona amurallada sobre la colina, al pie del acantilado en el que rompían las olas los días de galerna.

Este era el panorama que se encontró el inspector Retamares al llegar al pueblo. En teoría se trataba de un dibujo no demasiado complejo, un grupo manejable de nombres y un paisaje pequeño y limitado en el que todo había sucedido, un escenario acotado y bien definido. Con esos mimbres no debería costarle mucho solucionar el interrogante. En tan solo unos pocos días debería ser capaz de averiguar qué fue de Macarena Albanta y darle carpetazo al caso. Con suerte aún podría disfrutar de sus vacaciones.

Pero las cosas no salieron como esperaba.

14

A los veinte años todo el mundo es guapo, y el futuro se extiende ante uno como una alfombra roja por la que poder pisar con el aplomo y el desparpajo que otorga la juventud. Pero todo ello no es más que un espejismo, y la vejez, agazapada en un rincón del camino, no tarda en aparecer y hacerse la insoportable y pelmaza protagonista de la función. Remedios Mudela había envejecido bien, al abrigo de un matrimonio feliz con el boticario que nunca permitió que a la dama le faltaran cuidados y atenciones, y a la que todos los días le cantaba las mañanitas, las mismas que cantaba el rey David.

La historia venía de largo, desde los lejanos tiempos de la infancia. No había que ser un observador demasiado fino para darse cuenta de que entre el chico de los ojos azules y ella había una conexión especial. Los muchachos, más atolondrados y despistados, quizás no se daban cuenta de lo que se estaba fraguando, pero Macarena y Remedios, que eran inseparables compañeras de juegos desde muy niñas, sabían lo que había y movían los hilos del amor con esa pericia innata que tienen las mujeres inteligentes. Cuando los avatares de la vida le pusieron el punto final a la cuadrilla de amigos, a nadie debería haberle sorprendido que una de las relaciones que quedaran en pie fuera la de Remedios con el boticario, que tan pronto parecía enterarse de lo que ocurría a su alrededor como vivía encerrado en su mundo de canciones. Sólo se necesitó que el muchacho finalizara su paso por la universidad para que se formalizara el compromiso.

Los años, contra todo pronóstico, fueron pasando, estableciendo un vínculo entre los dos hechos de monotonía y dejadez, hasta que el inesperado regreso de Vilches Galván amenazaba con desbaratarlo todo. Como un jarrón que al romperse se hace añicos, tras la desaparición de Macarena, cada uno de los integrantes de la pandilla siguió el sendero que el destino le había marcado sin oponer mayor resistencia. Gúmer Azpeitia y Remedios Mudela a la farmacia y a sus mariachis, Tico Tachuelas a sus loterías, el padre Querol a sus misas y a sus letanías, el viejo Valdivia a la mar y sus sardinas, Romano Santacruz a la cantina y a sus vinos, Jacinto *la Perdularia* a su jaula de locas, Vilches Galván a sus negocios lejos del pueblo, y Macarena Albanta... ¿Qué fue de Macarena Albanta?

Si alguien pensaba que Remedios podía tener la clave, estaba muy equivocado. Ella ya se lo había explicado a quien se lo quiso preguntar cincuenta años atrás, y había contado todo lo que sabía: nada. Macarena no tenía problemas, ni motivos para escapar, ni mucho menos para desaparecer, sin dejar rastro, sin avisar a nadie, sin dar noticias sobre su paradero. Tampoco insinuó nunca nada, ni tenía un plan de fuga preparado, ni parecía inquieta o triste en el pueblo, ni dio nunca señales de alarma. Pero lo cierto era que se había esfumado, se había evaporado como si estuviera hecha de agua, dejándolos a todos perplejos, tristes, pero sobre todo vacíos. Medio siglo es mucho tiempo, el suficiente como para borrar las penas, aunque en el fondo siempre quede un poso amargo. Hay heridas que no terminan nunca de cicatrizar, y que cuando menos te lo esperas vuelven a abrirse dejando a la vista los restos de la infección. Y el regreso de Vilches hacía que todo volviera a supurar.

Algunos días Remedios echaba una mano y atendía la farmacia, aunque siempre prefirió llevar su vida por otros caminos más creativos. La chica tenía una irrefrenable pulsión artística, lástima que no la acompañara ni una pincelada de talento. Aprovechaba cualquier momento para escribir un poema, tocar el piano o dibujar en un cuaderno, siempre con resultados catastróficos. Pero al menos había que reconocerle la constancia, siempre intentando encontrar una manifestación artística con la que expresarse. Sin éxito. Tras probar con la música y con la pintura, lo intentó después con la escultura y la fotografía sin conseguir tampoco resultados destacables. Dedicó entonces su tiempo a la alfarería, y si bien en este campo tampoco era una virtuosa, al menos el trabajo le proporcionaba paz y relajación. Ahora, convertida ya en abuela, disponía del tiempo libre que durante muchos años le robó la vida, años dedicados a formar una familia y sacarla adelante. Tiempo libre para llenar de vasijas y jarrones la casa propia y las de los amigos, que hartos de no saber qué hacer con tanto recipiente de barro como les regalaba Remedios, imploraban en vano que la buena mujer se cansara de la rueca y la arcilla, y dedicara sus esfuerzos a pasatiempos más solitarios y menos invasivos para el hogar ajeno, como el ajedrez o la pesca fluvial. Pero no tuvieron suerte, nadie escuchó sus súplicas, porque la siguiente vocación frustrada de la mujer del boticario resultó ser el punto de cruz, el macramé y cualquier prenda que se pudiera hacer con un ovillo de lana y dos agujas de tejer. Y aunque en el pueblo raramente hacía mucho frío, pocos pudieron evitar que les regalaran unos guantes o una bufanda. Y mejor no protestar, porque podría ser peor y corresponderles un tapete de ganchillo, por mucho que alegaran en su defensa que los televisores eran ya planos y no tenían espacio para colocarles una flamenca encima. Cuando ya parecía que la calma iba a llegar por fin a sus vidas, a Remedios le dio por la repostería, y desde ese día no faltaron los pasteles ni las rosquillas en las mesas de todos sus amigos, que no tardaron en aborrecer las pastas de mantequilla duras y recocidas que recibían con inexorable puntualidad cada semana. Y comoquiera que las aficiones del desocupado no tienen límite ni final, aún estaba por llegar el furor por la papiroflexia y las pajaritas de latón, demostrando que en la vida, degenerando, degenerando, todo puede ir a peor.

15

Llamarlo *cabaret* era muy generoso. El Xanadú era un galpón destartalado, un cajón de chapa y cemento con remaches de latón pintado de verde que ni el nombre tenía original. Estaba situado en una explanada solitaria a la salida del pueblo, junto a la carretera que lleva a la ermita. Era visible desde lejos, sobre todo en la noche, en la que un neón intermitente ejercía de reclamo y de faro para los descarriados a la deriva que buscaban cruzar el espejo para alejarse del mundo real en que vivían. En el Xanadú se servía alcohol barato, o sea, de garrafón; se programaban actuaciones baratas, o sea, malas; y se vendían amores y carne de saldo, o sea, barata. La distinguida clientela estaba formada por lo peor de cada casa, todos varones poseedores de la ternura de un verdugo, ejemplares destacados de la grosería y la falta de refinamiento de la que son capaces los seres humanos cuando se lo proponen.

Al caer la tarde llegaba Jacinto disfrazado de hombre anodino, tan incoloro como inodoro e insípido que se diría todo él hecho de agua. En el camerino entraba un Jacinto descafeinado y de él salía una *Perdularia* exuberante, todo el calor tropical y la sabrosura de una hembra tan falsa como sus tetas. Pero las candilejas resplandecen y el espectáculo debe continuar, en breve sonará la música y el cañón de luz la buscará y la perseguirá por el minúsculo escenario de tablas renqueantes y carcomidas para mostrar la decrepitud en todo su esplendor. Y él, Jacinto, transformado ya en ella, *la Perdularia*, doblará la rodilla y agachará la cerviz en señal de respeto a un público que nada ha hecho para merecerlo.

Tres golpecitos con los nudillos en la puerta del camerino hacen que se sobresalte. No es habitual que alguien interrumpa ese mágico momento en que el gusano está a punto de transformarse en crisálida, larva en mariposa dispuesta a desplegar sus encantos ante personas que no saben lo que es un entomólogo. Se repite la llamada. Jacinto pronuncia el adelante que franquea el paso al visitante mientras, sentado ante el espejo rodeado de bombillas que preside la mesa del camerino, termina de perfilarse la sombra de ojos con un lápiz de trazo fino que tiñe de magenta las trincheras que forman las arrugas de los párpados. Entonces ve del revés, como se ven los objetos reflejados en los espejos, la silueta invertida de un hombre en el umbral de la puerta. Y de todos los hombres que en el mundo son, el que se perfilaba bajo el dintel era quizás el que menos encajaba con el paisaje, la pieza rectangular en un puzle compuesto de círculos, pero «la vida te da sorpresas, sorpresas te da la vida», pensó *la Perdularia* anticipando una de las piezas que habría de interpretar en su espectáculo, y a su espalda, en la puerta de los camerinos del club de alterne Xanadú, se recortaba la figura del padre Querol.

—Coño, Pepe, ¿cómo tú por aquí? ¿Es que el clero ha roto definitivamente el voto de castidad?

—Nada de eso, no te creas que vengo a esta Sodoma por diversión, de hecho, no entiendo qué le encuentra la gente a este antro.

—Uy, si yo te contara, no me tires de la lengua —dijo el transformista mientras se colocaba la liga y las medias— Ya que estás ahí, ayúdame, anda.

Jacinto se puso en pie, se ajustó el corpiño y le ofreció la espalda a su amigo de la infancia para que le abrochara los corchetes de la prenda.

—Supongo que ya sabes de qué vengo a hablarte —dijo el Padre Querol mientras se esforzaba con evidente torpeza en cumplir con la misión que le habían encomendado.

—Desde luego qué torpe eres, maricón, cómo se nota que estás poco entrenado. ¿Es que no practicas con los monaguillos? —replicó Jacinto.

—No seas sacrílego, por el amor de Dios.

—Sacrílega, si no te importa, cariño, que mis esfuerzos me cuesta convertirme en mujer. Pero, en fin, ¿qué me estabas diciendo? Ah, sí, me preguntabas no sé qué. Perdona, amor, no te estaba haciendo mucho caso.

—Te preguntaba que si sabías por qué había venido a verte y de lo que quería hablarte.

—Ah, eso. Sí, claro, supongo que es por lo de Vilches, ¿verdad?

—¿No te preocupa? —preguntó el cura.

—¿El qué, que regrese ahora al pueblo pasada media vida? Pues no, la verdad, no sé lo que querrá, pero no me preocupa.

—Pues supongo que querrá saber qué fue de ella, querrá averiguar qué fue lo que pasó. Y, sinceramente, venir a estas alturas a remover los recuerdos no creo que sea buena idea, no creo que nos traiga nada bueno a ninguno.

—Bueno —respondió *la Perdularia* mientras se pintaba el colorete en los pómulos— tampoco creo que nos afecte demasiado, ha pasado ya tanto tiempo...

—No sé, si tú lo dices... En fin, de todos modos, me gustaría comentar contigo un par de cosas, sólo para quedarnos todos más tranquilos.

—Como quieras, cariño, pero tendrá que ser cuando termine la actuación. Ahora me esperan mis admiradores, una estrella no debe hacer esperar a su público.

El padre Querol cerró la puerta del camerino, recorrió el pasillo y salió a la sala. Una gran bola de espejos colgada en mitad del techo giraba lentamente, iluminando cada rincón del Xanadú con lentejuelas de luz. Las ovejas de esta parroquia estaban aún más descarriadas que las de la suya —pensó el cura— y languidecían con su vaso de tubo en la mano mientras las chicas les daban conversación y por los altavoces se escuchaban bachatas y boleros. Dudó un instante, miró el reloj y calculó que tenía algo más de una hora por delante. Poco tiempo para regresar a la casa sacerdotal, pero mucho para esperar por una zona tan descampada. Finalmente, se quitó el alzacuellos y la chaqueta, se remangó la camisa, se acodó en una esquina al fondo de la barra, y pidió un *whiskey*. Nada que no hubiera hecho ya en alguna otra ocasión.

Terminada la actuación, *la Perdularia* se tomó su buen tiempo para desmaquillarse y cambiarse, trayendo de nuevo poco a poco a la vida al gris ciudadano Jacinto. Abandonaron juntos el Xanadú, caminando por la carretera en dirección al pueblo. La noche era agradable, un viento muy ligero aportaba la brisa fresca que tanto habían añorado durante el día, uno de esos días veraniegos de calor extremo en los que parece que la vida se niega a desplegar las alas. En esas horas de la madrugada era cuando apetecía empezar a disfrutar de lo que a pleno sol resultaba un suplicio. Decidieron hacer una parada en el primer bar que encontraron abierto, un merendero tradicional, modesto, pero limpio y ordenado, con unas mesitas de plástico al aire libre patrocinadas por una marca de refrescos que prometía convertirse en la chispa de la vida. Pidieron sus consumiciones y, durante unos momentos, gozaron del silencio de la noche. La única música de fondo que se escuchaba era el rítmico sonido del canto de los grillos alborotados, un cri-cri que lejos de molestar hacía compañía. El cura rompió la paz del momento con un comentario tan previsible como inoportuno.

—¿No crees que ya va siendo hora de que dejes este trabajo? Vamos cumpliendo años, Jacinto, y creo que exhibirte así ante esa gente no es lo más adecuado.

—No es lo más adecuado para una persona de mi edad, ¿es eso lo que quieres decir?

—No me malinterpretes, Jacinto, eso no es lo más importante. Pero bueno, ya que lo dices, pues sí, la verdad, ya somos casi unos ancianos y no creo que menear el culo en semejante desguace sea lo más adecuado.

El cura dio un trago largo a su copa y siguió hablando con el tono admonitorio propio de los de su oficio.

—Nos hacemos mayores, amigo mío, la vida se nos ha ido pasando sin darnos cuenta y ahora lo que toca es plegar velas y ponernos en paz con Dios para el juicio que nos espera.

—Amén, *pater*, pero mi juicio ya sé cómo termina. Esa película tiene un final muy previsible. A estas alturas de poco vale ya arrepentirse.

—No desprecies la inmensa capacidad de perdón de nuestro Señor, no hay pecado tan nefando que no pueda perdonarse.

—Vaya, hay que ver cómo está cambiando la Iglesia, ya podíais haberle dicho eso a los que quemasteis en la hoguera por sodomitas, o por blasfemos, o por brujos, o porque os salió de los cojones.

—Eran otros tiempos, Jacinto, otros tiempos. Además, no mezcles temas, que yo estaba hablando de ti.

Jacinto *la Perdularia* se puso serio por vez primera, y habló con la cabeza gacha que le ocultaba un velo de resignación en la mirada.

—Ya es tarde para todo, amigo, la vida se ha pasado muy rápido, tienes toda la razón, como un soplo, sin darnos tiempo a cumplir ningún sueño. Me siento estafado, yo pensaba que ahora que empezaba a entender de qué va esto de vivir, todas las oportunidades se brindarían ante nosotros y comenzaría la verdadera carrera para satisfacer nuestras vocaciones y cumplir nuestros sueños. Y, sin embargo, ya ves, lo único que tengo son achaques y un calendario al que cada vez le quedan menos hojas. Qué desastre, Pepe, qué desastre.

—Bueno, esas son las reglas del juego, pero ya sabes que la muerte no es el final del camino.

—No, por favor, no me vengas con sermones otra vez, esta noche no.

—Tienes razón, dejémoslo. Además, yo no quería hablarte de eso. En realidad, lo que quería decirte era que andes con cuidado.

—Eso suena a amenaza.

—No, no lo veas así, yo diría más bien que se trata de una advertencia. Por tu bien, claro, sólo quiero protegerte.

—Pues entonces quizás debamos protegernos todos.

El cura apuró otro trago mientras reflexionaba.

—Sí, quizás tengas razón, quizás debamos tener cuidado todos.

—¿Tú crees que Vilches...?

—¿Qué? ¿Que si lo sabía?

—Sí.

—No lo sé, por eso debemos tener cuidado.

—De todos modos, ha pasado ya mucho tiempo, no creo que a estas alturas...

—Recuerda que Vilches estaba muy enamorado de Macarena.

—¿Tú también? —preguntó *la Perdularia*.

—¿Y quién no? Todos estábamos muy enamorados de Macarena, como para no estarlo.

Volvieron a quedarse en silencio, meditando lo que acababan de decirse.

—¿Qué vas a hacer?

El cura alzó las manos al cielo con gesto de resignación y finalmente dijo:

—Pues haré mi trabajo: dar una misa conmemorativa en su recuerdo y rogar por su alma, dondequiera que esté. Y tú, ¿qué vas a hacer tú?

Jacinto imitó el gesto beatífico de su amigo implorando al altísimo y contestó:

—Pues haré también mi trabajo. Le dedicaré una canción.

16

La presencia de Adolf Von Schulle en el pueblo constituía siempre un acontecimiento. Cada vez que se le veía caminar por las calles de casitas encaladas que rodeaban a la plaza mayor, era como si se produjera una aparición, un espíritu vestido de blanco que se había vuelto corpóreo. Tantos años llevaba encerrado en su mansión que, al verle, muchos vecinos se preguntaban cómo era posible que aún estuviera vivo. Vivía enclaustrado intramuros de su castillo, como un ermitaño o un monje renunciante. Y también parecía haber hecho voto de silencio, porque jamás intercambiaba palabra alguna con los vecinos, más allá de unos educados buenos días y breves y corteses conversaciones con los tenderos. Nunca había sido un personaje bienvenido en el pueblo, y aunque había pasado más de media vida en él, lo que le otorgaba de largo los galones de lugareño, seguía sin ser considerado como uno más de los habitantes de ese microcosmos. No ayudaba a ello el que desde el principio hubiera sido tan huraño, encerrado en su casa sin hacer esfuerzo alguno por integrarse en la vida de la comunidad, aunque, como si se tratara del acertijo de la gallina y el huevo, resultara imposible saber qué fue antes, si su aislamiento por la poca simpatía que le profesaban o la antipatía que le tenían por su carácter introvertido y esquivo. Tampoco contribuía a facilitar su integración el hecho de que arrastrara a sus espaldas el estigma de un pasado desconocido y misterioso que, debido a su edad, a su procedencia germánica, a su porte castrense y hasta a que se llamara Adolf, hacía que la gente asociara —blanco y en botella— al retraído personaje que parecía huir de sus pecados con un jerarca de los ejércitos nazis.

Al finalizar la Segunda Guerra Mundial fueron muchos los oficiales del Tercer Reich que huyeron a países gobernados por caudillos, mariscales y dictadores de todo pelaje, lugares donde obtuvieron, al amparo de sus gobiernos, nuevas identidades, y donde pudieron comenzar sus vidas lejos del horror que habían sembrado, lejos del dolor de las víctimas y de los juicios de Núremberg. Paraguay, Argentina, Brasil o España fueron algunos de los destinos más habituales para estos fugitivos de la justicia, puntos en los que encontraron las comodidades que les facilitaron unos Estados gobernados por sátrapas de su misma calaña. En este contexto era lógico que la gente especulara con el pasado de Von Schulle, dueño y señor, además de un caserón inexpugnable al que nadie había tenido acceso en muchos años, lo que también había contribuido a alimentar la leyenda del hombre misterioso. Sin embargo, la observación estricta de los hechos no reflejaba más que la vida silenciosa y retirada de un ermitaño que jamás había creado un problema y de cuya boca nunca había salido una sola palabra que pudiera ofender a sus vecinos.

Aunque solían servirle las provisiones a domicilio, muy de vez en cuando se permitía bajar al pueblo a comprar pescado fresco en la lonja, medicinas en la farmacia o unos dulces recién hechos en la pastelería. Por ello resultaba tan insólito lo que acababa de suceder. Con su pequeño tesoro en forma de pastel de manzana en una bolsita, una dorada aún boqueante en otra, y unas pastillas para la tos en el bolsillo, y mientras caminaba de regreso a su retiro en la mansión de la colina, decidió darse una tregua en el camino castigado sin piedad por el sol del mediodía y refugiarse en la tasca de Santacruz. Nunca antes, en más de medio siglo, había pisado el suelo de albero de la bodega. A esas horas apenas había media docena de clientes en el bar, sospechosos habituales de los de comunión diaria en la taberna. Al verle entrar se cortaron de raíz todas las conversaciones, hasta los grandes ventiladores de estilo colonial del techo parecieron detener su cadencioso girar de derviche giróvago. Adolf Von Schulle ocupó una mesita discreta al fondo de la sala. Pidió un refresco que le sirvieron de mala gana, no estaba claro si por ser él quien era o por tener la osadía de no enfriar el gaznate con una cerveza fresquita o con vino, que era lo propio en el lugar. Una vez atendida la comanda, la vida en la bodega volvió a su curso, a la música flamenca de fondo, las conversaciones sobre fútbol y el ritmo sincopado de las aspas del ventilador. Pero a pesar de todo, nadie perdía de vista al alemán, que bebía con la mirada fija clavada en la mesa. Si su llegada había causado sorpresa, lo que ocurrió a continuación desató una tormenta de chismorreos que tardaría días en abandonar el pueblo. Bajo el dintel de la puerta, esperando a que sus deslumbrados ojos por el sol se acomodaran a la penumbra de la bodega, se recortaba la figura de un hombre mayor, una silueta que empezaba ya a ser habitual entre los vecinos. Saludó a los clientes con respeto, y al tabernero con mayor efusividad. Pidió un amontillado, y con su copa en la mano fue a sentarse en la mesita del fondo con el viejo Von Schulle, que le esperaba en pie y al que saludó con un cortés apretón de manos.

La conversación duró poco, lo que tardó en derretirse el hielo del refresco. El tono fue sosegado, se diría que hasta cordial. Mientras hablaban, ambos mantenían la mirada clavada en los ojos del otro. Apenas gesticulaban. El paso de los años había conseguido aproximar el aspecto físico de los dos hombres. Medio siglo atrás, cuando los chavales del clan de la pandilla de los inseparables eran apenas unos adolescentes, los más de veinte años de diferencia que les separaban del alemán hacían que, a sus ojos, este pareciera un señor muy mayor, cuando en realidad no era más que un tipo de mediana edad que acababa de entrar en la década de los cuarenta. Pero ahora, instalados ya todos ellos en los incómodos aposentos de la tercera edad, donde todo se vuelve achaques y dolores, resultaba difícil determinar con precisión la edad de cada uno, pues los años parecían no haberse cebado con la misma saña con cada uno de ellos. Ya fuera asunto de la genética o de la vida reposada, de monacato y reclusión que había llevado encerrado en su caserón con jardines y vistas al mar, lo cierto era que Adolf Von Schulle había envejecido bien, y a pesar de que ya no cumpliría de nuevo los noventa, su aspecto era el de una persona notablemente más joven.

Cuando el último cubito de hielo se derrumbó entre las aguas oscuras de los restos del refresco, como si se tratara de un glaciar en un mar sucio contaminado de cola, dieron por clausurado el encuentro, que volvió a ser sellado con otro apretón de manos. Todo ocurrió con la misma discreción. Nadie escuchó una palabra. Nadie vio un gesto extraño. Pero muchos días después aún se hablaba en el pueblo del sorprendente encuentro del huraño alemán con el recién llegado Vilches Galván.

17

Romano Santacruz fue quien se encargó de divulgar la noticia. Apenas tuvo que poner la bola a rodar, porque enseguida la chismografía popular se iba a encargar de engordarla. La presencia del alemán en la bodega, por primera vez en su vida, era ya toda una exclusiva. Pero que además se hubiera citado allí con Vilches era ya una provocación para las almas cotillas de los habitantes de un lugar en el que nunca pasaba nada. Ya tenían tema de conversación para una temporada, y la imaginación carta blanca para fabular con las teorías más fantasiosas.

El tabernero se convirtió en el protagonista absoluto de la historia, el testigo que había presenciado el encuentro. Acostumbrado como estaba, a ser espectador privilegiado de confidencias y rencillas debido a su oficio de cantinero, no recordaba haber tenido nunca tal protagonismo. En las mesitas de su bodega se revelaban más secretos que en el confesionario de la iglesia, pero la reunión entre Vilches y el alemán había causado un estupor como nunca antes se había visto en el pueblo. Romano juraba que no había escuchado una sola palabra de lo que sus clientes habían hablado. Habían elegido un sitio lo suficientemente alejado de la barra como para que nadie pudiera oírlos. Además, continuaba Santacruz, hablaban muy bajo, sin gesticular apenas, lo que dificultaba aún más adivinar tan siquiera el sentido de lo que estaban tratando. Eso sí, afirmaba el testigo, yo juraría que estos dos ya se conocían de antes.

—¿Por qué dices eso, Romano? —le preguntaban.

—No sé, quizás por la forma en la que hablaban, no era una conversación propia de dos completos desconocidos.

—Pero cuando éramos unos chavales, Vilches jamás habló con él, le tenía el mismo miedo que todos nosotros. Y después se fue del pueblo y no ha regresado hasta ahora.

—Y no nos consta que el alemán se haya movido de aquí en todos estos años —añadió otro.

Romano se quedaba entonces callado, pensativo, recreando absorto la escena ocurrida un par de días atrás en la bodega.

—Ya —decía— todo eso es cierto, y, sin embargo, yo juraría que estos dos no era la primera vez que hablaban.

—Y si querían mantenerlo en secreto ¿por qué no se citaron en un lugar más discreto, no sé, en el mismo castillo de Von Schulle, por ejemplo?

Entonces todos los participantes en la charla volvían a quedarse en silencio, buscando una respuesta lógica a una pregunta tan simple. Estuvieron así un buen rato, reflexionando, hasta que finalmente habló el bodeguero.

—Quizás esa sea la clave, quizás lo que buscaban precisamente era que se les viera juntos.

18

El día en que Macarena desapareció, Evaristo Valdivia, de diecisiete años y vecino de la localidad, salió muy temprano a faenar con su padre. Era aún noche cerrada cuando soltaron amarras y dirigieron la proa de la barca mar adentro. Con ellos navegaban otro par de pescadores que ayudaban con las nasas y las redes. A esa misma hora, otra media docena de embarcaciones zarpaba del puerto como cada amanecida en busca de los mismos caladeros. Permanecieron buena parte de la jornada en aguas profundas, utilizando artes de cerco, llenando las bodegas de gambas, langostinos y boquerones. Cuando los tanques estuvieron cargados, pasado ya ampliamente el mediodía, regresaron a puerto. Todas las embarcaciones volvían juntas, formando una comitiva que se deslizaba sobre las aguas al compás del soniquete monótono de los motores de benceno y seguidos por una estela de gaviotas carroñeras en busca de los restos del festín. A la altura de la rada redujeron a dos nudos, mientras los marineros preparaban los cabos para encapillar los noráis. Amarrados ya en la dársena descargaron la mercancía, que a los pocos minutos reposaba con todo su esplendor sobre los mostradores de mármol de la lonja.

El padre, que para eso era el patrón, se fue directamente a la cantina de la cofradía, donde tras asearse ligeramente, tratando de quitarse de encima un tufo a pescado que nunca se iba, comenzó a jugar la partida de dominó de cada tarde, regada con un sol y sombra bien cargado. El chaval se quedó en cubierta manguera en mano, limpiando la sal y los restos de las capturas que quedaban en la barca desde la batayola hasta la sentina. Luego, junto al resto de compañeros, recogió las artes y las dejaron preparadas para el día siguiente, en el que volverían a hacerse a la mar, repitiendo una rutina milenaria que a todos les daba de comer.

Cuando todo estuvo recogido, limpio y ordenado, se fue a casa. Se duchó y comió algo, unas acelgas si no recordaba mal, o quizás fueran espinacas, no podría decirlo con seguridad, pero unas verduras en todo caso. Lo recordaba bien porque era una comida que aborrecía, pero las cosas en casa no estaban como para comer a la carta, y hoy no tocaba pescado. Comido y aseado, salió a la calle en busca de tierra y asfalto, lo que fuera con tal de estar alejado del agua, con la que llegaba a tener pesadillas. Nunca iba a la playa, a diferencia de sus amigos, que eran capaces de pasarse horas varados en la arena como cetáceos despistados, o bien jugando a desafiar olas. Valdivia ya tenía de sobra con su ración diaria de mar. Sin embargo, nunca soñó con montañas verdes o ciudades de interior, su destino estaba grabado a fuego y no era otro que el de ser pescador, tal como lo habían sido su padre, su abuelo y el padre de su abuelo. Eso era lo que le había tocado en suerte y lo aceptaba con total resignación. Con esa rotundidad lo declaró en el atestado.

Estuvo callejeando un buen rato. Después se metió en el salón de juegos, donde se apuntó a unas partidas de futbolín y posteriormente se dedicó a hacer carambolas en el billar. Se tomó una copa en un bar, fundiendo sorbo a sorbo la paga del día. Allí permaneció poco tiempo, porque no encontró a nadie conocido. Cuando terminó la consumición fue paseando hasta los soportales de la plaza, donde se reunió con algunos de sus colegas de la pandilla. Estaban Gúmer y el Tachuelas, y también Pepe Querol, y quizás alguno más. No podía asegurar quién lo trajo, pero sí recordaba que tenían tabaco y bebidas, seguramente compradas en algún supermercado del barrio. En contra de su opinión —ya se ha dicho que finalizada su jornada laboral no quería ni ver el mar— se fueron a tomarlo al espigón del muelle, al final del paseo, sobre unas rocas planas a las que sólo llegaba el agua cuando se encrespaban las olas o la marea subía de forma desmesurada. Allí estuvieron un buen rato, hasta que terminaron los refrescos y la ginebra. Sí, estaba seguro de que era ginebra —declaró— de eso no tenía ninguna duda.

A continuación, regresaron al pueblo por el camino de la costa. Aunque ya era tarde aún se veían familias de paseo aprovechando la tregua fresca de la noche, y parejas de enamorados que tomaban helados entre beso y beso. Pasaron delante de la discoteca e intentaron entrar, pero esa noche no hubo suerte. A las puertas del local, sin embargo, había el suficiente ambiente como para continuar la fiesta. En ese lugar se juntaban los que salían del edificio para descansar del ruido, con los que haraganeaban a las puertas por no tener posibles o enchufe para entrar en la sala. De todos modos, la música se filtraba por las paredes mal insonorizadas del local y los chavales bailaban, bebían, fumaban y reían igual que lo habrían hecho dentro. Tenían la capacidad de convertir el aparcamiento de la discoteca en una pista de baile, demostrando que los jóvenes necesitan poco más que la compañía de otros de su misma edad para divertirse. Entre los que había esa noche en la explanada, Evaristo Valdivia vio a una chica que no se quitaba la sonrisa de los labios. Se cruzó la mirada con ella y esta le aguantó el envite con aire retador. Se acercó a la joven, se saludaron con dos besos y comenzaron una conversación intrascendente. La chica era muy guapa, y según manifestó Valdivia se la veía claramente interesada en él, algo que, por otro lado, no le sorprendía lo más mínimo debido a su innegable y natural atractivo, reiteró con orgullo. Pero esa noche no estaba de humor, y además antes del amanecer debía zarpar nuevamente a por la pesca del día, así que decidió irse a casa y dormir un par de horas antes de hacerse de nuevo a la mar. Lo sentía por la chica, porque se la veía muy atraída por él, reiteró por tercera vez ante la paciencia del inspector, pero desgraciadamente para ella esa noche no iba a poder ser.

Al llegar a su habitación puso el despertador y cayó rendido en la cama. No tardó ni cinco minutos en dormirse. Cuando lo despertó el timbre estridente del reloj se vistió en silencio, fue a la cocina y puso la cafetera a calentar. A esas horas su padre ya estaba en pie, con su eterna gorra azul de capitán calada, escuchando el boletín del estado de la mar en un transistor de pilas que llevaba con él por toda la casa. Se tomó un café con su hijo sin intercambiar ni una palabra durante un buen rato. Finalmente, apuró su taza, la llevó al fregadero y sólo entonces habló. Abrígate bien, dijo, hoy va a hacer frío. Valdivia pensó que su padre estaba especialmente locuaz esa mañana, porque de ordinario era difícil arrancarle más que unos buenos días. Cuando ya se disponían a salir, su padre le formuló la pregunta que tantas veces habría de escuchar repetida a lo largo de ese día: ¿te has enterado de lo de esa chica, Macarena? Ante la negativa de Valdivia su padre le explicó que la niña —esa fue la palabra que usó, «niña»— no había regresado a casa y que nadie sabía dónde estaba. Los padres vagaban desesperados y andaban preguntando por todo el pueblo en busca de alguna información. Pero nadie pudo darles respuesta, nadie había visto a Macarena Albanta. Valdivia confirmó que la chica era parte de su grupo de amigos, una integrante más de la pandilla de inseparables compañeros de juego, pero, desgraciadamente, no tenía ni idea de lo que podía haberle ocurrido.

Todo esto fue lo que declaró Evaristo Valdivia, de diecisiete años y vecino de la localidad, durante las investigaciones llevadas a cabo por la policía tras la desaparición de Macarena Albanta.

Y, sin embargo, nada de lo que había dicho era cierto.

19

Al terminar la reunión, el alemán regresó directamente a casa. A pesar de la edad caminaba firme y recto, esbelto, con la marcialidad de un soldado que llevara grabada la impronta del paso ligero. Cargaba con las bolsas, con el pescado y con el resto de sus compras sin aparente esfuerzo. Un sombrero panamá de ala ancha le protegía del sol, enemigo declarado de una piel tan blanca como la que tenía el rubio Von Schulle. El viento de los años no había conseguido llevarse por delante todo el cabello. El que había aguantado estaba completamente encanecido. Lo llevaba cortado a cepillo, en punta, semejando un manojo de picos nevados.

En el camino de regreso a casa sintió una vez más las miradas furtivas que le lanzaban los vecinos al verle pasar, y las más descaradas de los niños que carecían del filtro de la corrección, pero también del velo de la hipocresía. Ese día, sin embargo, parecía que todo el mundo le miraba con mayor detenimiento, como si ya hubiese corrido por todos lados la noticia de su encuentro con Vilches. Quizás no eran más que imaginaciones suyas, predispuesto a ver fantasmas donde sólo había sombras. Lo curioso es que le daba totalmente igual, tan acostumbrado estaba ya a ser tratado como un bicho raro al que todos miran con una mezcla de curiosidad y repulsión, que ya no le afectaba nada lo que pudieran pensar de él.

Finalmente, llegó al pie de la colina donde se iniciaba el sendero que conducía a su casa. Tras unos cuantos metros caminando entre vegetación y monte bajo se llegaba a la primera verja de metal. Una vez abierto el candado y superada esta, ya dentro del recinto de su propiedad, aún quedaba por flanquear un muro de piedra protegido por un portón de hierro de grandes dimensiones. Tras él había un jardín más cuidado que servía de antesala a la puerta de la mansión. Más allá de ese punto nadie sabía lo que había.

Vilches, por su parte, aprovechó el resto del día para callejear por el pueblo, en un viaje al país de los recuerdos. El paso del tiempo le había dado una capa de barniz cosmético, pero no había podido alterar la esencia del pueblito marinero en el que el ritmo lo marcaban las mareas y el ciclo solar, aletargado en la canícula que se combatía con la siesta hasta que aflojaba el sol. Las cosechas de los campos apenas daban para el abastecimiento propio, una autarquía que les hacía no depender de nadie. Lo que sí había cambiado en esos años era la aparición de un fenómeno tan rentable como molesto, el turismo masivo, que sin llegar a ser aún una insoportable carga sí alteraba la dulce monotonía del paraíso.

Al caer la noche se encontró con el Tachuelas, que recorría achispado la calle principal dando tumbos de taberna en taberna. Ya no le quedaban boletos de lotería que despachar, pues había vendido todos los décimos, y ahora lo que tocaba era fundir hasta la última moneda en un remedo de milagro de la conversión del agua en vino. En ese estado Tico Tachuelas se convertía en un imprudente y en un lenguaraz, un pobre diablo sin mala intención pero peligroso como un cocodrilo hambriento. Sus indiscreciones entonces eran el pan nuestro de cada día, una verborrea chismosa que se alimentaba con cada nueva ronda que endosaba a su pequeño cuerpo y que, cuando agotaba su magro presupuesto, siempre había alguien dispuesto a financiarle con el fin de que no decayera la fiesta, como el mono al que se lanza maní para que siga haciendo cabriolas que diviertan al personal.

No le costó convencerle para que le acompañara en su paseo, bajo la promesa, eso sí, de realizar parada en cada fonda del camino. Unas cuantas horas en compañía de Tico Tachuelas le sirvieron para ponerse al cabo de lo sucedido en el pueblo durante su medio siglo de ausencia. Una información pasada por el tamiz de la subjetividad del narrador que, si bien era cierto que adornaba las historias con literatura barata, también lo era que, en esencia, no mentía. Su catálogo de novedades incluía bodas y funerales, nacimientos de hijos putativos engendrados por padres elegidos al buen azar, concubinatos estables y urgencias amatorias de aquí te pillo, aquí te mato. Escuchándole parecería que, en el pueblo, en todos esos años, no se había hecho otra cosa que fornicar en cama ajena. Quien siguiera fielmente su relato pensaría que las cosechas se recolectaban solas, las viñas se vendimiaban a sí mismas, y los pescados acudían prestos y por sus medios a ofrecerse al mejor postor sobre las mesas de níquel de la lonja que, como si fuera otra triste metáfora de los tiempos modernos, habían sustituido a las antiguas de mármol. A poco que se le regara con pericia, el lotero confesaba todos los secretos ajenos, convertido en la némesis de un cura bocazas que se pasara por el forro de la sotana el secreto de confesión de sus feligreses.

Vilches aprovechó el juego para cotillear sin maldad, y enterarse en sesión única de las andanzas de sus compañeros de juventud. Por la pasarela imaginaria que Tico desplegaba desfilaban amores y penas, vicios y pequeñas miserias, deudas de juego, ramalazos de cobardía o incontinencias de bragueta. Rara vez había algo positivo que destacar, que hay guisos a los que el azúcar no les sienta bien.

—No se me escapa una, Galvancito, aquí donde me ves lo tengo todo controlado.

El Tachuelas era el único que llamaba Galvancito a Vilches Galván. Lo había hecho así desde que eran unos niños, ambos bajitos y algo enclenques. Luego, cuando se hicieron mayores, Vilches creció y Tico siguió siendo pequeño, pero ya no le apeó el tratamiento a su amigo. Escuchar el diminutivo de nuevo, después de tantos años, le inflamó la nostalgia.

—Venga Tico, cuéntame otra más. Ahora una de Pepe, que del cura apenas me has dicho nada.

—Uy el cura, menuda pieza el *pater*. Mira Galvancito, hay una anécdota muy buena que yo te contaría con mucho gusto, pero es que no voy a poder.

—¿Por qué, Tachuelas? ¿Por qué no vas a poder?

Entonces, echándose una mano a la garganta, y añadiendo una buena dosis de teatro barato, decía:

—Es que estoy muy sequito.

La rápida intervención del camarero, remedando a un bombero que llegara justo a tiempo con el líquido salvador a apagar el incendio, engrasaba la máquina del chismorreo del lotero.

—Pues mira, yo diría que en esta parroquia a este cura no le queda ninguna feligresa que pastorear.

—Qué exagerado eres, no será para tanto.

—Que me parta un rayo si miento. Se ha cepillado al rebaño entero, Vilches, al rebaño entero.

A medida que avanzaba la noche, que corría paralela a los ríos de vino que tomaba, Tico Tachuelas exageraba más sus historias, aunque en todas ellas siempre había un poso de verdad.

—Pero eso sería antes de tomar los hábitos —contestó Vilches— cuando nuestro amigo era un crápula que aún no se había caído del caballo.

—No, no. Antes, durante y después.

Y a continuación añadía un que me parta un rayo si miento y volvía a empezar de nuevo con otra afirmación igual de escandalosa. Lo malo de tanta verborrea era que, con frecuencia, Tico sobrepasaba las líneas rojas de la prudencia y del decoro, pues, si bien era cierto que, en esencia, todo lo que contaba Tico tenía una base veraz, también lo era que hay comportamientos que les atañen en exclusiva a sus dueños sin que nadie ajeno tenga derecho alguno a entrometerse. El lotero se valía de que la curiosidad y el cotilleo son inherentes a la condición humana, condimentos que sazonan el plato, a menudo insípido, de la existencia. Y no había nadie que se resistiera a escuchar las crónicas de la vida privada de los otros que narraba Tachuelas. Una noche, justo cuando más inoportuno era, dijo una inconveniencia ante quien menos debería haberlo hecho. En ese instante no se dio cuenta, pero su suerte ya estaba echada.

II

LAUDES

20

Hagan juego, señores, decía el crupier, y los señores jugaban, vaya si jugaban, se jugaban la camisa y hasta la honra de la madre, si no les quedaba otra cosa que apostar, sin ser conscientes de que las noches de fortuna son más escasas que las caracolas con sirena, y la melodía del doble, par y pasa de la ruleta suele sonar casi siempre a mayor gloria de la orquesta y no del auditorio, o sea, que al final siempre gana la banca. Y cuando decidía repartir un caramelo para entretener a algún jugador reincidente, lo hacía siempre a costa de la cartera del resto de ludópatas ingenuos que aún creían en la cantinela del golpe de suerte.

El casino, además, por si fuera necesario sumarle mayores emociones al no va más, era ilegal. Un negocio que no tenía licencia ni permiso alguno, que no pagaba impuestos ni declaraba sus ingresos. Un lugar tan clandestino y tan poco coherente con su esencia que, para encontrarlo, no había más que preguntar por él, pues no había vecino en toda la comarca que no hubiera cumplido al menos una vez en su vida con el ritual de jugársela al destino en cualquiera de sus mesas.

Estaba situado en el primer piso de un edificio noble. Una de esas mansiones coloniales con enrejados en las ventanas a ras de calle y un patio interior con arcos de medio punto que abrazaban la fuente de piedra que, desde el centro mismo de la construcción, refrescaba la calima de extramuros. Un par de palmeras escoltando el portón de entrada actuaban de reclamo del local, escondido tras el maquillaje de una respetable vivienda privada. Un domicilio particular que, en lugar de dormitorios, salones, cocina y baño, disponía sus habitaciones en reservados para jugar al póker, a la ruleta, a los dados y al blackjack. No faltaba la barra de bar bien surtida de todo tipo de licores, ni la ventanilla de cajero de banco en la que cambiar dinero por fichas y, algunas veces, las menos, fichas por dinero. Una luz suave, en tonos cálidos vainilla, contribuía a crear una atmósfera más íntima y acogedora. El cuadro se completaba con una música de fondo mezclada con el soniquete machacón de las tragaperras en celo siempre calientes a punto de parir una catarata de monedas. Sillones tapizados en capitoné a juego con grandes cortinones de terciopelo que dividían las estancias y tapaban las ventanas para que no se filtrara la luz de la calle, y moquetas castigadas por el cerco negruzco de alguna colilla encendida que acabó donde no debía, y que silenciaba los pasos del personal y de la clientela de la casa, absorta en el albedrío de los naipes y los dados, tan caprichosos ellos.

Con este panorama y el regusto que da lo prohibido, se entenderá que el lugar fuera toda una institución, un escenario de película de gánsteres en el Chicago de la ley seca, en la que el humo de los cigarros y el jazz embriagador que salía de saxos, trompetas y voces susurrantes de chicas malas, habían conseguido convertir al casino pirata en el sueño inconfesable de los vecinos de toda la provincia.

Las autoridades, claro, eran conocedoras de su existencia. Cómo no iban a serlo si hasta alguno de sus más respetables miembros lo visitaba con frecuencia. Pero un pacto tácito que se remontaba a algunos años atrás seguía vigente y, en virtud de él, nadie se inmiscuía en el terreno del otro. Todo se hubiera resuelto por el sencillo procedimiento de otorgarle una licencia de juego, legalizando su situación, pero eso era algo que parecía no interesarle a ninguna de las dos partes, a unos para no tener que hacer frente a las inevitables críticas de los moralistas de turno, y a los otros por la placidez de vivir alejados de la asfixia a que la administración pública somete a todo negocio con su continua hemorragia normativa y su voracidad recaudatoria. Las reglas de convivencia, por tanto, eran muy sencillas. Bastaba simplemente con no hacer demasiado ruido, no crear problemas que supusieran noticia pública, y engrasar con billetes las bisagras necesarias. No menear el avispero, en definitiva.

El casino sólo cerraba sus puertas un día a la semana, normalmente los lunes, para dar descanso al personal y al bolsillo de los jugadores. El resto del tiempo permanecía abierto, si bien en ocasiones sólo funcionaban algunas de las mesas de juego, las imprescindibles para dar calor a las apuestas. A medida que se acercaba el fin de semana crecía la clientela, y con ella las cantidades que se movían en sala. A veces, cuando las apuestas entraban en ebullición, algunas mesas más privadas permanecían abiertas ininterrumpidamente, sin hacer caso a horarios, insensibles al día y la noche, refugiados en la penumbra producida por las contraventanas y cortinas que impedían filtrar la luz del exterior. Esos solían ser los momentos más delicados, porque en tales trances no resultaba extraño que algún jugador impulsivo o manirroto perdiera la hacienda y hasta la dignidad. En tales situaciones la casa cuidaba de que no quedaran restos del naufragio vital entre sus paredes, pues los clientes arruinados eran muy libres de volarse la tapa de los sesos si así lo consideraban oportuno, siempre y cuando lo hicieran bien lejos del casino. Un coche de la empresa estaba dispuesto en todo momento para trasladar al jugador desplumado donde quisiera, aunque lo cierto era que llegado el trance de la derrota total ninguno sabía adónde ir.

Hoy es jueves, mitad de una semana en la que el regreso de Vilches ha desbaratado la monótona y perezosa rutina del pueblito marinero. Pasada ya la medianoche no son muchas las mesas que permanecen abiertas, la tarde no ha sido especialmente prolija en clientes. Se acerca el fin de mes y aún faltan unos días para que llegue el día de paga, así que las carteras no andan demasiado boyantes. Sin embargo, en un reservado del fondo de la casa, al final de un pasillo por el que se mueven las camareras con las bebidas encargadas por los jugadores, se está celebrando una partida de póker en la que la temperatura no deja de subir. Alrededor de la mesa, formando una media luna frente al crupier, cinco jugadores reposan sus manos nerviosas sobre el tapete verde. Piden carta o arrojan boca abajo las que tienen al suspiro lastimero de «no voy». Los que continúan con la mano exclaman «las veo» y, con gesto invariable, los dedos jugueteando con la montaña de fichas que tienen a su vera, cubren apuestas, las suben o las doblan, según su parecer. Los hay que van de farol y su jugada les sale bien, y los hay que van holgados y la suerte decide, sin embargo, que no es suficiente para ganar la mano. Raramente salen maldiciones o juramentos de labios de los perdedores, en su mayoría jugadores curtidos acostumbrados a los caprichos de la fortuna. Los que ganan, por su parte, lo hacen normalmente con respeto y educación, sabedores de que la rueda gira insobornable y lo que hoy es triunfo mañana bien puede ser derrota. Si en algo coinciden todos es en que las rachas existen y que, cuando llegan, hay que exprimirlas al máximo. Lo difícil es saber cuándo hay que parar, cuándo es inteligente dejar que la última ficha la gane otro. Y sobre todo cuándo hay que frenar la sangría de pérdidas causada por una racha aciaga. La vana esperanza de que la suerte, por fuerza, ha de cambiar, suele sepultar en la miseria a los jugadores más impulsivos que, dicho sea de paso, acostumbran a ser la mayoría.

Las rachas. Siempre están presentes, sobrevuelan todas las mesas, pues la sostenibilidad del sistema exige que para que unos ganen otros deben perder. Las rachas son aleatorias, y nunca se saben las razones que las llevan a bendecir a unos y condenar a otros. No obedecen a reglas ni lógicas, a veces las cartas llegan encadenadas y a veces no aparecen por mucho que se las invoque. Como solía decir con guasa el Tachuelas, «lo que pasa es que las rachas son muy suyas».

Esta noche uno de los jugadores no cuenta con la complicidad de los hados. Al principio no le entraban buenas cartas, no ligaba una triste pareja. Luego, cuando las pérdidas aún eran asumibles, empezaron a llegarle naipes más solventes con los que conformar alguna buena mano. Entonces fue cuando dobló las apuestas, y después dobló lo doblado, y la fortuna comenzó a actuar con una crueldad despiadada. Por muy ganadoras que fueran sus combinaciones, siempre tropezaban con alguna mejor en manos de sus contrincantes. Ahí empezó el desastre. La sangría seguía imparable; sin embargo, era difícil dejar de jugar cuando uno liga un full tras otro, lástima que no faltara sobre la mesa algún póker que lo desbarataba todo. La secuencia de la reacción era siempre la misma, demasiadas veces la había visto ya el crupier en otros jugadores que habían pasado por el mismo calvario. Primero venía la sorpresa. Luego el lamento. Después el enfado. A continuación, la incredulidad. Y, finalmente, de forma invariable, la ruina.

El caballero que se está dejando los ahorros es un conocido del establecimiento. Lleva siendo fiel al casino desde que descubrió la adrenalina del juego hace ya unos cuantos años. Fue un flechazo, un amor a primera vista. Durante todo ese largo periodo de tiempo había tenido oportunidad de poner su vicio en barbecho en varias ocasiones, dejando en reposo la montaña rusa de pérdidas y ganancias, que de todo había habido. El balance global, como en la inmensa mayoría de los casos, apuntaba a una falta de equilibrio entre el deber y el haber. En una carrera de largo plazo pocos eran los que conseguían doblegar a la banca con asiduidad, y los elegidos que gozaban de semejante privilegio eran rápidamente invitados a no regresar por el local. Al fin y al cabo, si en los negocios legales la propiedad se reserva el derecho de admisión, en los que funcionaban al margen de cualquier regulación, no había razones para que no ocurriera lo mismo.

El cliente que esta noche cabalgaba al galope hacia la ruina ya había pasado por el trance en varias ocasiones. Al final siempre pagaba sus deudas, lo que lo convertía en persona de fiar. Era además un miembro destacado de la comunidad, un profesional respetado al que no hacía falta recetarle los calmantes porque los tenía por cientos en las alacenas de su casa. Gúmer Azpeitia, el boticario, se había enganchado al juego cuando empezaron a faltarle emociones en su vida. Su matrimonio con Remedios había caído en el limbo que comparten el sopor y el aburrimiento, el cansancio y el desdén. Sobre el papel todo iba bien, pero en la práctica nada funcionaba. Cuando se sinceraba con sus amigos en la taberna de Santacruz solía comparar su relación de pareja con una botella de gaseosa que llevara demasiado tiempo abierta y que hubiera perdido ya toda la chispa y el gas. Hasta la estabilidad financiera, tan deseada por todos, había jugado en su contra, al privarles al menos de la emoción de luchar codo con codo por salir adelante. Los hijos ya volaban solos, y el río fluía desbordado, anegando a su paso lo más valioso que tienen los seres humanos: las ilusiones.

Con este panorama no era extraño que el terreno estuviera fértil y abonado para que la trepidante tensión del juego calara en el espíritu de un hombre inquieto como Gúmer. Las rancheras ocupaban una parte significativa de su tiempo, pero el hueco que había que rellenar era demasiado grande para un puñado de humildes mariachis, por muy machos que fueran. El juego le trajo nuevas ilusiones en forma de emociones fuertes, ingrediente que necesitaba para vivir tanto como el oxígeno que respiraba.

Lo peor de perder una mano tras otra no es que se resienta la bolsa, sino que si uno no es muy cauto con ella se le puede ir también la vida. Perdidos todos los ahorros y adquiridas cuantiosas deudas de juego, no queda más remedio que rearmarse, cargarse de paciencia y pagar la cuenta. De lo contrario, es probable que el precio final de la factura resulte tan elevado que conduzca directamente al vertedero.

Uno de los encargados del casino que apreciaba a Gúmer, tanto en su calidad de vecino del pueblo como en la de cliente del negocio, le sugirió al oído abandonar la timba, esperar a que escampara y regresar otro día con nuevos ánimos cuando llegaran tiempos mejores. Fue entonces cuando el boticario pronunció la absurda frase que tantos disgustos ha causado a legiones de jugadores desesperados: «una más y lo dejo». Y esa coda final solía suponer la puntilla a una noche aciaga.

Con las primeras luces del alba, el boticario abandonó el casino, escoltado por personal del casino que lo acompañó a casa para impedir que cometiera cualquier locura cerca del local. Al llegar a su domicilio se encontró a su mujer dormida, con esa despreocupación que da saber que las ausencias son moneda de curso legal en el moribundo matrimonio. Gúmer Azpeitia se encerró directamente en el baño. Se aisló del mundo bajo la ducha, agua a borbotones que consiguió devolverle a la ficción momentánea de que todo va bien. Se ha pasado la noche sentado y, aun así, le cuesta sostenerse en pie. Se recuesta en el suelo de la bañera, con la espalda apoyada en la pared de mosaico azul, mientras la lluvia torrencial del chaparrón de agua lo envuelve por completo. Cierra los ojos y por su mente no dejan de transitar ases que a buenas horas acuden a su cita. Un viento furioso desata una tormenta de tréboles, diamantes, corazones y picas que arrasan con la paz del lugar y que le obligan a buscar refugio a la sombra de los soportales de la plaza mayor. Con rogativas al altísimo consigue que el viento se calme, justo cuando cierra el grifo de la ducha y escucha la voz de su mujer a la puerta del baño, constatando con una pregunta retórica una obviedad: ¿Ya has vuelto? De allí se va a la cama a intentar conciliar unas horas de sueño, un descanso imprescindible para afrontar la realidad que le espera al día siguiente: resolver la ecuación que logre que dos más dos sumen diez y poder pagar así sus deudas. Había que buscar dinero fácil y rápido, atajos que suelen conducir a oscuros y peligrosos callejones. No era la primera vez que lo hacía. Y no quedaba otra.

21

Las campanas doblaron convocando a los feligreses al templo, un repicar continuo y repetitivo que anunciaba el inminente inicio del servicio religioso. Poco a poco fueron llegando los parroquianos, que ocupaban los bancos de la iglesia siguiendo un orden natural en el que los más beatos avanzaban hasta las primeras filas, mientras que los más discretos apenas recorrían unos metros de la nave principal de la iglesia y tomaban asiento en el primer lugar que encontraban disponible. Pasaban apenas cinco minutos de la hora fijada cuando el padre Querol, ataviado con sus mejores galas para celebrar la eucaristía, aparecía por un lateral del altar llevando un enorme copón de oro en las manos. Dos preadolescentes con cara angelical y algo de sobrepeso, vestidos con inmaculadas casullas de monaguillo, ayudaban con los avíos precisos para la celebración del rito. Un grupo de chavales armados con guitarras perpetraban una canción pegadiza con ritmo folk, dando así comienzo al sacramento. Buena entrada, rozando el lleno, en un pueblo tradicional y marinero en el que se veneraba sobre todas las cosas a la virgen del

Carmen. En las bancadas, mezclados con el resto del rebaño, los integrantes de la pandilla asistían al oficio con la seriedad que se le supone a un momento tan solemne. El boticario Gúmer Azpeitia y su mujer, Remedios Mudela, compartían banco con el viejo Valdivia, que había dejado su barca amarrada a puerto, tal como veinte siglos atrás lo hiciera su colega de profesión San Pedro para dedicarse a pescar almas. Cerca de la puerta se había quedado el cantinero Romano Santacruz con los suyos, y junto a una capilla lateral, ocupando un reclinatorio, estaba Jacinto *la Perdularia* que, al ver a tanto público, fantaseaba con lucir peineta y mantilla y llevar un relicario entre las manos. El pequeño Tico Tachuelas, por su parte, contaba mentalmente los décimos de lotería que le faltaban aún por vender para acabar su jornada laboral y poder pasar la tarde trasegando manzanillas de la barrica a su estómago.

Vilches Galván llegó cuando la misa estaba a punto de comenzar. Se persignó con agua bendita, tal como recordaba de sus años de infancia, cuando en la escuela los curas llevaban a toda la clase a misa. Desde entonces no había vuelto a pisar una iglesia más que para asistir a algún bautizo, alguna boda o a un funeral. Seguramente ese era el truco, pensaba con lucidez, el gran logro del clero para perpetuar su poder, estar presente en los tres momentos clave de la vida de una persona, nacimiento, matrimonio y muerte. Lo que quedaba entre medias era simple relleno, puro acompañamiento de fondo, hilo musical para seguir en la rodada. Vilches saludó con la mirada a sus antiguos amigos, intercambió respetuosos buenos días con cuantos vecinos se cruzó y clavó sus ojos en los del padre Querol cuando este lo vio desde el púlpito. Avanzó la liturgia a golpe de cuatro acordes de guitarra, entre ríos de agua viva y murallas de Jerusalén. Se dieron la paz, cantaron el padrenuestro a ritmo de Simón y Garfunkel, y los más entregados a la causa recibieron el cuerpo de Cristo, amén. Pero lo que de verdad interesaba a los congregados, lo que todos habían ido morbosamente a escuchar, era la homilía del cura, su recuerdo de la chica más risueña y dulce del pueblo, la desparecida Macarena Albanta. Sólo los más viejos del lugar la recordaban, aunque su nombre y su leyenda nunca habían abandonado el imaginario colectivo del pueblo. En un lugar tan plácido y tranquilo en el que se vivía en calma y sin sobresaltos, el hecho de que uno de los miembros más queridos de la comunidad se esfumara de repente sin dejar rastro alguno era un suceso que difícilmente podía borrarse de la mente de sus habitantes.

El oficiante ordenó descanso a la tropa y pidió a sus feligreses que tomaran asiento. Vilches, que tenía muy oxidado el ritual y lo iba recordando conforme avanzaba, sonrió para sus adentros pensando en que para la gente de su edad una misa se parecía cada vez más a una clase de gimnasia de tanto como había que arrodillarse, sentarse y volver a ponerse en pie. Cuando todos estuvieron acomodados, el padre Querol se acercó al atril, comprobó que el micrófono funcionaba —sí, sí, probando, probando— carraspeó para aclarar la voz, y comenzó su parlamento. Discurría la homilía por terreno trillado. De boca del cura no salían más que obviedades bondadosas y lugares comunes, la cantinela habitual de que la muerte no es el final del camino y de que más allá de la sepultura nos espera la resurrección y la vida eterna. El problema, advirtió el padre Querol entrando por fin en materia, era que aquí no había nicho ni lápida ni hornacina con las cenizas, ni tan siquiera cadáver hubo en su día, ni la seguridad de que hubiera un muerto al que llorar. A los que la querían, no les quedaba sino el consuelo de pensar que ella hubiera decidido irse voluntariamente, incluso que la hubieran secuestrado, lo que fuera con tal de que siguiera con vida. Como venía siendo habitual, la calentura mental popular, alimentada por tantos años sin noticias, había elaborado las teorías más disparatadas, desde la abducción por parte de unos extraterrestres venidos de Ganímedes hasta otras desgraciadamente más factibles, como el secuestro por parte de una red de trata de blancas. En cualquier caso, como nunca nadie fue capaz de probar nada, todo quedó flotando en el cenagoso terreno de la especulación y la rumorología.

Así pues, el sacerdote dedicó su discurso a honrar el recuerdo de los difuntos, pero también a pedir por los desaparecidos, los perseguidos, y ya de paso por los pecadores de todo pelaje y condición. Tuvo tiempo, eso sí, para extenderse en su cariñoso recuerdo de Macarena, la joven vitalista y risueña —así la definió— que con su presencia alegraba la vida del pueblo. Hubo también una mención a sus padres, ambos fallecidos ya, gente trabajadora y honrada, que se fueron al más allá con la terrible desazón de no haber sabido nunca qué fue de su hija. El cura siguió cantando las virtudes que adornaban a la chica, una retahíla de alabanzas que dibujaban a un ser puro y noble, más cercano a un ángel que a un mortal. Evocar ese recuerdo después de tanto tiempo había conseguido arrancar alguna lágrima entre los más veteranos del lugar que demostraba lo viva que aún estaba la luz que desprendía la chica. Macarena, continuaba el padre Querol, era una de esas personas que tenían el don de irradiar vitalidad y alegría allá donde estuvieran, contagiando su calor a quienes la rodeaban. Más que un recordatorio, la homilía llevaba camino de convertirse en una terapia colectiva, una catarsis comunal que a muchos evocaba sus felices años de juventud. Justo hasta que ella desapareció y de repente todos se hicieron mayores de golpe, conscientes por vez primera de que el mundo también puede resultar un lugar inhóspito y hostil.

Terminado el sermón volvieron a sonar las guitarras acompañando otra canción que hablaba del perdón, y tras volver a hacerse el silencio y dejar unos segundos para la reflexión, el párroco del pueblo, padre Pepe Querol, extendió los brazos, dio gracias al Señor, miró a los cielos, e impartió la bendición en el nombre del Padre y del Hijo y del Espíritu Santo. Amén. Ya podían ir todos en paz.

Como si fuera tan sencillo.

22

El día en que Macarena desapareció, Romano Santacruz, de diecinueve años de edad y vecino de la localidad, madrugó para acompañar a su padre a visitar unas bodegas en uno de los pueblos vecinos. Llevaba tiempo acariciando la idea de dedicarse profesionalmente al sector, con el argumento irrefutable de que si tanto le gustaba pasar sus días en la barra de un bar también habría de hacerle feliz estar al otro lado.

Las bodegas que visitaron embotellaban unos vinos aromáticos, recios, con años de envejecimiento en barricas de roble americano. Eran vinos generosos, con el grado superlativo de alcohol que se les acostumbra a dar a este tipo de caldos. No buscaba el joven Romano aprender a producirlos, no eran tan altas sus aspiraciones, pero sí ansiaba cuando menos aprenderlo todo sobre su almacenaje y manipulación y, si la calidad y el precio eran de su agrado, quizás llegar a un acuerdo de distribución y venta para despacharlos en exclusiva en su futuro local.

Romano era un mal estudiante, más aficionado a la fiesta y la jarana que a los libros. Había tenido que repetir curso en una ocasión, y si no lo hizo más veces fue por la caridad y resignación de los curas del colegio en que estudiaba. A punto ya de abandonar las décadas de la infancia y la adolescencia para entrar de lleno en la de las primeras responsabilidades de la juventud, y descartada por voluntad propia la posibilidad de alargar los estudios, era el momento de buscarse un oficio o un negocio que le asegurase el sustento sin necesidad de depender de la generosidad familiar.

Hacía ya algún tiempo que había cerrado por jubilación de su propietario un viejo local de almacenamiento y despacho de vinos situado en el centro del pueblo. El viejo almacén languidecía día a día con el cartel de «se vende» colgado en la fachada, sin que tal reclamo pareciera resultarle atractivo a ningún comprador. Desde que Romano le echó el ojo supo que algún día acabaría siendo suyo. Ya se imaginaba la decoración, con viejas fotos de toreros y cantaores de flamenco, sillas y mesas de madera tosca y una barra robusta desde la que dirigir el negocio. Sus padres, preocupados ante el incierto futuro que le esperaba a un hijo que, por más que insistían, no quería estudiar, veían con buenos ojos la operación. Y por fin, ese verano Romano había conseguido arrancarles el compromiso de ayudarle a financiar la compra de la bodega o, cuando menos, a avalarle para que pudiera armar la empresa y poner en marcha su anhelado negocio: la Bodega Santacruz.

En eso estaban aquella mañana de verano en la que el pueblo aún no sospechaba la conmoción que estaba a punto de sufrir, cuando Romano y su padre regresaron de la visita a los futuros proveedores justo a tiempo para el almuerzo, que fue servido puntualmente en la mesa de la cocina. Durante la comida hablaron del aspecto menos romántico de la operación, el económico, y de cómo podrían afrontar el pago de las numerosas facturas a las que tendría que hacer frente para poner en marcha la taberna. Sin ser conscientes de ello, estaban trazando un plan de empresa con sus inversiones, retornos y rentabilidades, aunque para ellos todo se resumía a un simple cuánto hay que poner. Poco a poco fue tomando forma la estrategia que debían seguir para alcanzar el objetivo que se habían propuesto, la apertura de un nuevo local situado en el corazón del pueblo dedicado a la venta y consumo de vinos y productos de la tierra, unas bodegas que llevarían el nombre de la familia y que regentaría el hijo, lo que permitiría de paso a sus padres disfrutar de una merecida jubilación con la tranquilidad de saber que su vástago ya tenía las herramientas para volar solo.

Terminada la comida, Romano salió de casa y se pasó la tarde pensando en sus cosas. Bajó a la playa, donde se tumbó a la sombra de un parasol de cáñamo y bambú. Luego se fue al agua y se pasó un buen rato nadando en mar abierto. Se secó al sol, tumbado en la playa sobre una toalla de felpa. Entonces recordó que había quedado con su amigo Gúmer para ir al supermercado a comprar unas botellas de alcohol y refrescos. Una vez hechas las compras, caminaron hasta la plaza, donde se encontraron con otros amigos de la pandilla. Como allí no había demasiada intimidad, pues a esas horas los soportales estaban llenos de niños jugando y madres charlando animadamente a la fresca, decidieron ir hasta el espigón y acomodarse sobre uno de los grandes bloques de hormigón armado que actuaban como rompeolas. Allí estuvieron bebiendo y fumando hasta que se les agotaron las existencias, haciendo lo que cualquier grupo de chavales de su edad acostumbraba a hacer para divertirse y pasar el tiempo antes de ir a bailar, a tomar y a ligar a los bares o discotecas de los alrededores. No recordaba con exactitud a todos los que estaban con él en la escollera esa tarde, pero desde luego no faltaron Valdivia, Querol y el bueno de Gúmer, con el que había ido a comprar las botellas. Ah, también recordaba que a última hora se les había unido el Tachuelas quien, dicho sea de paso, bebía más de lo que cabía en su pequeño cuerpo. Eso fue exactamente lo que dijo

Romano Santacruz, e intentó extenderse en el asunto de la capacidad de absorción etílica de su amigo Tico Tachuelas, pero su discurso era tan redundante que le obligaron a callar, tomar aire y continuar su relato de la jornada.

Era ya noche cerrada cuando alcanzaron las puertas de la discoteca, pero eso fue lo más lejos que llegaron, a las puertas, porque la noche no parecía propicia y nadie iba a tener un detalle con ellos. Vamos, añadió Romano, que no nos dejaron pasar. Así que se montaron la fiesta a la entrada, donde coincidieron con otros grupos de chicos que, al igual que ellos, se habían quedado en el umbral del local. Las muchachas le devoraban con la mirada y él, claro, se dejaba querer. Nuevamente, tuvieron que pedirle que interrumpiera su narración, que amenazaba con convertirse en una apología de su supuesto atractivo y sus dotes amatorias, y que se centrara en la descripción estricta de los hechos. Así lo hizo, y el relato le condujo directamente a su dormitorio, al que llegó solo y algo borracho.

Durmió bien, aunque tuvo que levantarse un par de veces a beber agua, pues esa noche el calor no dio tregua y no resultaba fácil conciliar el sueño. Afortunadamente, le ayudó la cantidad de alcohol que había tomado durante todo el día y así, sin nada más que reseñar, se quedó profundamente dormido.

A la mañana siguiente lo despertó su madre con una taza de chocolate recién hecho que le llevó a la cama. Aquello era algo tan inusual que intuyó enseguida que algo extraño había sucedido. Fue entonces cuando se enteró de que su amiga había desaparecido y que nadie tenía noticias de su paradero desde el día anterior. Sinceramente, afirmó, no podía imaginarse qué podría haber ocurrido, porque la chica parecía muy feliz e ilusionada con empezar a estudiar en la universidad, algo que debía ocurrir al finalizar el verano, y no encontraba razón alguna para que se hubiera fugado o hubiera decidido desaparecer. Aseguraba no haberla visto desde hacía un par de días, aunque no le resultaba extraño, ya que él había estado muy ocupado visitando bodegas y haciendo números con sus padres para decidirse a abrir un negocio, una taberna tradicional en la que se despacharían chacinas y frituras y vinos de la tierra, y nuevamente había que interrumpirle para que se ciñera escrupulosamente al relato de lo sucedido y no se repitiera tanto.

Esto fue lo que declaró Romano Santacruz, de diecinueve años y vecino de la localidad, durante las investigaciones llevadas a cabo por la policía tras la desaparición de Macarena Albanta.

Y, sin embargo, nada de lo que había dicho era cierto.

23

Al padre de Macarena lo llamaban *el Pelao*. El mote se lo habían puesto hacía ya muchos años, cuando tuvo que raparse el pelo para deshacerse de los piojos que se habían instalado en su cabeza tras pasar unos días en locales poco recomendables que era mejor no frecuentar. Después, el paso del tiempo había hecho concienzudamente su trabajo y le regaló una calvicie prematura que ya no le permitió quitarse el mote de encima.

Si la hija era todo dulzura, el padre, en cambio, era amargo como la hiel, desagradable como sólo lo son las personas sin modales, sin cultura y sin buen corazón. Macarena había salido a su madre, una mujer buena y abnegada que cometió el error de enamorarse de quien no debía, y que ya no tuvo valor para dejarlo y empezar una nueva vida.

No había día en que *el Pelao* no llegase a casa borracho, exigiendo la cena caliente en un plato. Si las cosas no estaban a su gusto, se desataba una tormenta de reproches y violencia de la que nadie estaba a salvo, y en la que las mayores damnificadas siempre eran la madre y la hija.

—¿Otra vez pollo asado?

—Ayer me dijiste que te apetecía pollo —respondía la mujer con voz temblorosa, temiéndose el estallido de ira.

—Ayer fue ayer y hoy es hoy. Hoy me apetece pescado. ¿Vivimos en un pueblo marinero y no tienes pescado? No se puede ser más estúpida, eres una hija de la gran puta, lo haces para joderme.

—Yo... no... —balbuceaba la sufrida esposa.

Entonces terciaba la joven Macarena.

—No le hables así a mamá.

—Tú cállate, zorra —zanjaba la bestia.

La noche anterior a la desaparición de Macarena, *el Pelao* llegó a casa muy borracho y agresivo. Se había pasado la tarde en la taberna, bebiendo con sus amigos, todos ellos animales de su mismo pelaje. Algo debió importunarle, alguna discusión absurda en la que no le dieran la razón, o un amago de reyerta que quedó en nada por la intervención del tabernero. El caso es que llegó a casa hecho una furia y, tal como suelen hacer los cobardes, lo pagó con el más débil. En este caso, su mujer y su hija que, cada noche, esperaban con ansiedad y pavor la llegada del monstruo. Macarena consiguió encerrarse en su habitación y librarse así de los golpes. Lo que no pudo evitar fue escuchar los gritos, los insultos, los cristales rotos y las súplicas de su madre, a la que estaban dando una paliza brutal. Madre e hija lo habían hablado en múltiples ocasiones, y la buena mujer le había hecho jurar a Macarena que, cuando esto ocurriera, cerrara el pestillo de la puerta de su cuarto y esperara allí a que amainara la tormenta, pero que, en ningún caso, oyera lo que oyera, saliera de allí. Macarena era la única razón que tenía para seguir viviendo y, si alguien le hiciera daño, en ese mismo momento dejaría de tener sentido alguno soportar la vida.

La chica siempre había respetado la voluntad de su madre, no se le pasaba por la cabeza desobedecer sus órdenes. Sin embargo, esta vez las cosas estaban llegando demasiado lejos, así que se armó de valor, abrió la puerta de su habitación, fue a la cocina, cogió un enorme cuchillo jamonero, el más grande que encontró, y se plantó delante de su padre que, en ese momento, se disponía a cruzarle la cara a su mujer por enésima vez. Al verla allí, frente a él, cuchillo en mano, serena y decidida, *el Pelao* se quedó sin palabras. Era la primera vez que sucedía tal cosa, la primera vez que le plantaban cara, que alguien se enfrentaba a él en su propia casa, gallinero del que se creía el único gallo. Estaba desconcertado, estupefacto. Con las orejas gachas, como un perro apaleado, escupió en el suelo, dio un portazo y abandonó el piso, mientras musitaba para sus adentros una sentencia que expresaba lo único que en ese momento pasaba por su cabeza:

—Ya me las pagarás, hija de la gran puta.

24

Todo comenzó con un botón descosido. En ocasiones, algo tan minúsculo e insignificante como un botón puede desencadenar una concatenación de acontecimientos que transforman por completo la vida de una persona.

Los inviernos en tiempos de guerra parecen más fríos. Si además escasean los alimentos se hacen aún más duros. Lo que no cambia, en ningún caso, es la permanente nube de tristeza, esa sensación que flota en el ambiente a todas horas, haciéndolo más opresivo, como si la vida careciera de colores y todo sucediera en blanco y negro.

El sonido del botón descosido rodando por la escalera rompió el silencio que reinaba a media mañana en el portal del edificio. No podía presentarse en el cuartel con semejante roto en el uniforme. En las oficinas se exigía a los oficiales máxima corrección en el vestir, y llevar la camisa abierta a la altura del ombligo no entraba en los cánones de lo aceptable. El soldado Von Schulle se arrodilló en el descansillo, se caló las gafas de leer, y buscó a tientas el botón caído. Cuando al fin lo encontró, casi en el piso de abajo, se dio cuenta de que el verdadero problema empezaba ahora, ya que el joven Von Schulle no sabía coser un botón. A su rescate acudió el azar en forma de chica tímida con unos grandes ojos color aceituna que escondían una dulzura impropia de un lugar tan amargo como es una ciudad en guerra. Abrió el portón de madera del portal justo en el instante en que el soldado encontraba el botón. Iba cargada con las bolsas de la compra, mucho peso para poca sustancia, patatas y algunos manojos de hierbas y arbustos que no querían ni las acémilas, pero que entonaban el cuerpo y daban sabor al caldo.

La chica era la vecina del tercero. El soldado la había visto en un par de ocasiones, pero nunca había pasado del educado y protocolario buenos días al que ella contestaba con un susurro sin levantar prácticamente la mirada. Sin embargo, esa mañana, amparados en la protección de la escalera desierta, el saludo fue acompañado de una leve sonrisa. El chico también era muy tímido y parecía azorado, nervioso por la situación. Con una mano estiraba permanentemente la camisa para que no le quedara la tripa al aire, aunque su cuerpo era tan fibroso y musculado, que no había nada que no pudiera mostrarse con orgullo. Entablaron una conversación de palabras justas que, aun así, les costaba pronunciar, pero que fue suficiente para que llegaran a un acuerdo satisfactorio para ambas partes, él la ayudaría con las bolsas subiéndoselas hasta la puerta de casa y a cambio ella le cosería el botón. Lo hizo allí mismo, bajo el dintel, sin invitarle siquiera a pasar al interior, y eso a pesar de que en ese momento no había nadie en casa. O quizás todo ocurrió así precisamente por eso. La chica agachada ante él, cosiéndole el botón inferior de la camisa y él, nervioso, tratando de no temblar. Ella hacía evidentes esfuerzos por no tocarle la piel cálida del estómago, aunque al final le resultó imposible no rozarla con el dorso de sus dedos en una especie de caricia furtiva que excitó a los dos.

Duelo en la cumbre de dos tímidos que se despidieron dándose la mano, como si acabaran de cerrar un negocio. Sus miradas se cruzaron fugazmente, lo suficiente para mostrar lo nerviosos que estaban ambos y para arrancarles otra luminosa sonrisa de complicidad. Se emplazaron a volver a verse cualquier otro día en que el destino los juntara de nuevo en la escalera. Sólo cuando el soldado Von Schulle había descendido ya un piso y ella estaba a punto de cruzar la puerta de casa, se percató de que no conocía su nombre, nadie los había presentado y ellos habían sido demasiado cobardes como para hacerlo solos. Fue entonces cuando, armándose de valor, le preguntó y escuchó su nombre por primera vez: Noah.

Los padres de la chica eran comerciantes. Llevaban ya muchos años establecidos en el barrio, conviviendo en armonía con sus vecinos. Eran gente muy callada, personas de clase media que nunca se metían en líos, pero que siempre estaban dispuestos a echar una mano cuando se les solicitaba. Acudían con frecuencia a la sinagoga y respetaban las tradiciones de sus ancestros, Hanuka, la Bar Mitzvá de los jóvenes o el descanso del Sabaht. Pero no eran personas especialmente religiosas, el padre no llevaba largas barbas, ni tirabuzones, ni levitas negras, y sólo se ponía la kipá para acudir al templo.

La madre había nacido en un pueblecito cercano a Minsk, en la Rusia Blanca, una humilde aldea de labradores en la que la vida estaba regida por el tiempo que marcaba las cosechas. Los inviernos allí eran duros, un clima sin concesiones al sol o a la alegría, en un paisaje yermo iluminado por una luz mate y mortecina. Todo cambió con la celebración del matrimonio. Además de casarse con un chico amable, trabajador y responsable, la perspectiva de emigrar y buscar un futuro más próspero en la gran ciudad transformó el corazón de la madre de Noah, que soñaba con un hogar más cálido y una vida más cómoda. Se establecieron en Viena, que a los encantos de capital imperial sumaba los del lánguido discurrir de un Danubio que en verano anticipaba un mar que siempre estaba un poco más allá.

A base de esfuerzo, la familia fue prosperando, y quizás también porque la llegada de Noah trajo un pan bajo el brazo, no tardaron en regentar un par de tiendas que les permitía vivir con holgura. La vida había alcanzado ese punto de cocción perfecto que hace tan placentero el guiso del transcurso de los días.

Todo iba bien hasta que estalló la guerra, llevándose todo por delante, como si la realidad hasta entonces no fuera más que un castillo de naipes que se desplomara en cuanto soplaran los primeros vientos del huracán que estaba por venir. Al comienzo de esa orgía de sangre, cuando el viento no era aún más que rumor de hojarasca, la vida continuó con la impostura de que nada va a pasar, de que todo sigue igual y todo va a salir bien. Se mantuvieron las mismas rutinas, ciegos ante la realidad que los iba a abrasar, a menos que huyeran muy lejos de ella. Para cuando quisieron darse cuenta ya era tarde, y la fiera de la maldad los devoraría sin remedio, por mucho que la pianista Noah no dejara de tocar cada tarde para deleite de sus vecinos, que escuchaban las armónicas notas que formaban melodías a través de las paredes del apartamento de la chica de la mirada de color aceituna.

El soldado Von Schulle arrastraba en su árbol genealógico unos cuantos apellidos de postín, y aunque siempre había sido un chico retraído y poco dado a tomar protagonismo, no pudo evitar que los mandos de las fuerzas armadas le ascendieran al grado de oficial sin tan siquiera proponérselo. Estaba guapo con el uniforme y los galones, destacaba entre sus compañeros sin necesidad de hacer nada para ello, como si una luz natural emanara de él atrayendo las miradas de la gente. Estaba destinado en unas oficinas encargadas de cuidar del abastecimiento de las tropas desplazadas en el frente. Su mesa estaba colocada cerca de una ventana, desde la que se veía el Prater con sus jardines y su parque de atracciones, la noria de madera pintada de rojo como rueca de Penélope en una ciudad melómana que había equivocado la partitura olvidando la exquisitez de los violines para centrarse en la percusión de los tambores de guerra que redoblaban cada vez con más estruendo para éxtasis de los descerebrados que, en lugar de soñar con besos, lo hacen con conquistas con las que aniquilar al enemigo.

Tras la jornada laboral regresaba a casa dando un paseo, permitiéndose si acaso detenerse a tomar una cerveza en alguna de las tabernas del centro, o a comprar unos dulces en alguna de las confiterías del barrio. Vivía solo, y no se hablaba con sus padres, que siempre habían considerado al menor de sus hijos como la oveja negra de la familia. El chico pequeño de los Von Schulle no tenía ambiciones desmedidas ni ínfulas de grandeza, no aspiraba a ser el líder de la manada, ni a convertirse en el más puro de los violentos. Lo único que quería era ser feliz. Y esa falta de ambición chocaba frontalmente con los planes que su padre había elaborado para él, sin darse cuenta de que estaba diseñando una vida que no era la suya, y que precisaría de la conformidad de su legítimo dueño para poder llevarlos a cabo. Cuando constató que esa conformidad no se produciría nunca, optó por romper la cuerda y negarle en adelante la palabra a su propio hijo. Después llegó la guerra, y ya nada tuvo arreglo.

25

El viejo pescador seguía manteniendo la inveterada tradición marinera de no salir a faenar los domingos. Los pescadores lo tomaban como día de descanso, aunque pocos eran, para desesperación del Padre Querol y mayor gloria de Romano Santacruz, los que lo consagraban al Señor, y muchos, en cambio, los que lo hacían en honor del dios Baco, celebrándolo en alguna de las tabernas convertidas en templos dedicados a las libaciones y a otros menesteres más terrenales y etílicos.

En el lote de la vejez siempre vienen de propina los achaques y, si uno ha castigado su cuerpo exponiéndolo durante años a la humedad del mar, lo más probable es que llegados a ciertas alturas de la edad no quede un solo hueso que no padezca dolores reumáticos. Para el viejo Valdivia el domingo era el día de los recados, el momento de la semana que aprovechaba para realizar todas las gestiones que durante el resto de los días postergaba por pura pereza. El trance lo hacía más llevadero la rutina que había desarrollado con los años, y que lo llevaba a terminar su ronda de tareas en la farmacia de sus amigos Gúmer y Remedios, justo en el momento en que estos estaban a punto de cerrar, coger sus medicinas e irse todos juntos a tomar el aperitivo a la tasca de Santacruz.

Raro era el día en que no había novedades que comentar, la realidad nunca se cansa de aportar material infinito con el que acompañar una conversación de bar. Pero ese día, cuando ocuparon su mesa habitual en la esquina de la bodega y el cantinero puso ante ellos la botella de manzanilla y el plato de jamón, este acercó una silla y se sentó con sus amigos de infancia. La mitad de la pandilla reunida una vez más, sólo que en esta ocasión el asunto del que iban a tratar era tan engorroso como inesperado, el regreso cincuenta años después de su viejo amigo Vilches Galván.

El primero en hablar fue el boticario. Él fue el encargado de verbalizar lo que todos estaban pensando.

—¿Vosotros creéis que ha vuelto por ella?

—Yo no tengo ninguna duda —dijo Remedios.

—¿Qué sentido tiene, a estas alturas...? —se preguntó Gúmer.

—Ninguno. Es un error. No es bueno remover el pasado —comentó el viejo Valdivia— Si es que lo pasado, pasado está.

—Ya hemos sufrido bastante con este asunto. Y ya estaba olvidado. ¿Para qué volver ahora a remover la mierda? —dijo indignado el cantinero.

—Lo malo es que estas cosas se sabe cómo empiezan, pero no cómo acaban. No es inteligente abrir cajas de Pandora que estaban bien selladas —señaló el boticario.

A continuación, todos guardaron silencio, cabeza gacha y mirada fija en la mesa, mientras algunos hacían girar el catavinos y otros marcaban el compás y acompañaban con un tamborileo de los dedos el ritmo de un fandango que sonaba en la radio. Un puñetazo encima de la mesa rompió la calma.

—Joder —se escuchó decir— esto no va a traer nada bueno. ¿Por qué ha tenido que volver, el muy imbécil?

—No queremos revivir el infierno por el que ya pasamos, no hay derecho a que nos vuelva a pasar.

—Al fin y al cabo, cuando eres joven lo aguantas todo, pero a nuestra edad...

Esta última reflexión de Remedios puso fin a la conversación, zanjada definitivamente por el tabernero cuando se levantó para regresar tras la barra a atender a otros clientes. El mundo, como de costumbre, seguía girando ajeno a las preocupaciones de sus moradores.

Terminado el aperitivo, que los domingos tendía a alargarse hasta bien entrada la tarde, cada mochuelo regresaba a su olivo en busca del alpiste de cada día que, en este, que era el del Señor, acostumbraba a ser más generoso y refinado que de costumbre. En casa del pescador, por ejemplo, el lujo consistía en no comer pescado ni marisco, nada salido de las entrañas del mar, que era en lo que se basaba la dieta diaria de la familia. En esas ocasiones, el viejo Valdivia llegaba a casa con la esperanza de que su doña lo sorprendiera con un bocado especial, que a los hombres como él se los conquistaba más por el estómago que por el intelecto. Ese día hubo suerte y cuando llegó de la bodega de su amigo Romano Santacruz, sobre la mesa tapizada con un mantel de cuadros azules y blancos que semejaban escaques de mar y espuma de olas, se encontró con la grata sorpresa de un asado con patatas revolconas que perfumaba la casa anunciando un remanso de placer que habría de culminar inexorablemente con una siesta a la fresca. Y cuandoquiera que el sol decidiera izar bandera blanca y proclamar una tregua al sopor de la canícula, el viejo pescador se calaría la gorra azul de capitán y se iría a reunir con los compañeros en la cantina de la lonja, que, aunque sea el día de descanso, la cabra siempre tira al monte. Vuelta a casa, unas horas de descanso y al amanecer del nuevo día todo dispuesto para hacerse de nuevo a la mar, pues en las estanterías de ese supermercado de agua nunca se agotan los productos.

26

Las deudas de juego hay que pagarlas. Y si no las pagas, alguien se las cobrará por ti. Cualquier jugador sabe que esa es una de las reglas básicas del negocio, algo consustancial a su propia esencia. Quien se aventuraba en las procelosas aguas de los naipes sabía que el naufragio es una posibilidad siempre presente, una de las dos caras de la moneda que, con mayor frecuencia de la que sería razonable, acostumbraba a ofrecer la cruz.

Las deudas de juego no se perdonan. Nunca. Esta regla era una derivada de la anterior, pero no estaba de más recordarla para que nadie se llamara a engaño. Tanto debes, tanto pagas. Tanto tienes, tanto vales. Y no hay más. Desde luego no se le puede objetar indefinición o confusa letra pequeña. Aquí no cabe interpretación posible, más simple no puede ser. Aviso para navegantes.

Lo que sí admite más matices es la forma de pago y, lo que es más importante, la de cobro. Y con ella el grado y tipo de coerción que el acreedor puede ejercer sobre el deudor. El abanico aquí es muy amplio, y va desde el embargo a la amenaza, pasando por la quiebra de algún miembro, el secuestro y, en casos extremos, un boleto en cajita de madera hacia el punto final.

Ante este panorama raro es el moroso que no está dispuesto a remover cielos y tierra, propiedades y cuentas bancarias incluidas, para satisfacer la deuda, y hacerlo además a la mayor celeridad y sin dejar que se agoten los plazos, pues los intereses de demora en estos casos suelen estar por encima de la práctica bancaria más usurera. Gúmer Azpeitia, el boticario que cantaba en un mariachi, lo sabía perfectamente. No era ya ningún niño y llevaba los suficientes años enganchado a la droga del juego como para alegar desconocimiento de las reglas. No era la primera vez que no ligaba escaleras, ni colores, ni parejas, ni un triste trío. Las cartas son caprichosas y la fortuna lo mismo viene que se va. Lo que hacía esta situación tan diferente era que, en esta ocasión, la jugada se le había ido de las manos. No había sabido frenar a tiempo, no había tenido esa sangre fría imprescindible cuando se maneja material tan explosivo. Cualquier buen jugador sabe que la mala suerte o una mano mal jugada te llevan a la derrota, pero lo que te arrastra y te lleva a la ruina siempre es el orgullo de mal perdedor, el dejar que sean las emociones y no los datos los que guíen tu comportamiento mientras estás sentado a una mesa de juego. De una mala noche todo el mundo se recupera, pero si en esa mala noche pierdes los papeles y el autocontrol, la derrota se transforma en catástrofe, y de ese viaje resulta más difícil volver entero.

Nada de esto supone un gran secreto que sólo estuviera al alcance de los grandes maestros. Todo jugador, por ocasional o aficionado que sea, sabe que las reglas son estas. Lo que resulta sorprendente es la incapacidad de muchos de ellos para no asumir la realidad a tiempo, sordos y ciegos ante los repetidos mensajes enviados por los heraldos de la fortuna. Gúmer había caído en las redes de su propia estupidez, y ahora que pintaban bastos tocaba buscar la salida de un laberinto plagado de minotauros con ganas de empitonarle.

Todos los problemas son solubles, asunto distinto es el precio que lleve aparejado su resolución. Todos menos la muerte, claro, que cuando la parca se enamora de ti y te distingue con su gélido beso ya nada tiene vuelta atrás. Harto estaba el boticario de vender medicamentos que no servían más que para retrasar lo inevitable. El de Gúmer se solucionó de la única forma posible, entregando a sus acreedores la propiedad de la farmacia familiar. Varias generaciones de una familia luchando durante décadas por establecer un negocio sólido que sirviera como sustento de hijos, nietos y demás descendientes, y ahora la obra centenaria construida con los ladrillos del esfuerzo de sus antepasados y unida con la argamasa de incontables horas de estudio y trabajo, se había venido abajo, de la noche a la mañana como si fuera —nunca mejor traído— un castillo de naipes.

Con esos mimbres no era complicado imaginar el calvario que devoraba a Gúmer, quien, a pesar de su cabeza loca para los vicios, no era ningún irresponsable al que todo le diera igual. Ello le hacía sufrir mucho más, le quemaba por dentro como si el infierno estuviera ya instalándose dentro de él. Y si las advertencias cenizas de los curas eran ciertas, ese dolor inconmensurable, ese fuego que le devoraba, iba a ser eterno. Sin embargo, en mitad de la oscuridad, siempre terminaba por encenderse una luz. La que alumbraba su esperanza era la ignorancia de su mujer. Remedios vivía su plácida vida confiada en que, del cajero automático, como si fueran las ubres de una vaca, siempre salían billetes. Ella se dedicaba a sus cerámicas y a sus pasteles, a cuidar de la casa y de la prole, ajena a los problemas de la vida real que nunca hasta la fecha la habían mirado a los ojos. Y esa era precisamente la salida de emergencia que le quedaba a Gúmer, conseguir recuperar la propiedad del negocio antes de que se enterara su familia y fuera entonces ella la que le rompiera las piernas, la crisma y hasta el alma si fuera necesario. Pero para conseguir ese objetivo, el primer paso había de ser mantener en secreto el desastre, ganar tiempo para armarse antes de que el hundimiento definitivo resultara inevitable.

Cuando por fin pudo pensar con la serenidad que otorga la distancia, aceptó que lo más prudente era mantener las formas, dar la sensación de que nada grave había ocurrido y que la vida continuaba con normalidad. Llevaba ya unos días encerrado en su mundo, absorto e impermeable a cualquier estímulo exterior, como un boxeador sonado al que ya no le duelen los golpes.

Esta actitud había despertado la lógica inquietud en Remedios, que veía cómo su marido se estaba convirtiendo ante sus ojos en un ser desprovisto de alegría. Volvió, pues, a alternar en las tabernas, a sonreír a los clientes tras el mostrador de la botica. Volvió incluso a cantar rancheras, enfundándose el traje de charro y calándose el sombrero mexicano hasta darle sombra a las piedras.

En una de estas parrandas andaba, cuando el Tachuelas aparcó su motocarro de tres ruedas a las puertas de la tasca con intención de sumarse a la verbena. No tardó en aparecer algún cliente dispuesto a darle alpiste al canario, que con el estómago y el hígado esponjados estaba más simpático el enano. Hubo vino en abundancia y algo de manduque del bueno para acompañar el trago y conseguir así que no doblara antes de tiempo, pues no hay peor bufón que el que deja una cabriola a medias. Y la fiesta que se anima, y el alcohol que mana de los odres y las tinajas como los afluentes que desembocan en un río mayor, el del cante y el baile, el del arte y el salero. Y Tico, que no levanta un palmo, se crece en el zafarrancho de músicas y *olés*, elevándose a los cielos de la alegría y el placer. En el momento en que el garrotín y el garrotán llegaban a la misma vera de San Juan, el Tachuelas, en plena fase de exaltación de la amistad, se abrazó a Gúmer, y con la mejor de las intenciones y la mayor torpeza le dijo cuánto se alegraba de verle de nuevo cantar y reír, y ya de paso le preguntó cómo había conseguido solucionar lo de su deuda. Los ojos azules del boticario se clavaron en él con la frialdad de dos puñales de hielo.

—¿Cómo sabes tú lo de... cómo te has enterado? —le preguntó mientras lo sacudía por los hombros como si fuera una chaqueta a la que hay que sacarle el polvo— ¿Quién más lo sabe, a quién más se lo has contado, borracho de mierda?

Tico bajó de su nube como un Adán expulsado del paraíso por una espada de fuego. Tartamudeó, pidió perdón, juró que no se lo había contado a nadie, que no recordaba cómo se había enterado, que estas cosas ya se sabe, que en un pueblo no hay secretos, que él habla con todo el mundo y todo el mundo le cuenta sus cosas, pero que a él todo le parece bien, y que por favor que no le pegue, no vaya a ser que se le rompan las gafas y entonces se quedará más ciego que un topo, que yo a ti te quiero mucho, Gúmer, que nos conocemos desde que éramos así, un par de chiquillos, y la vida entera llevamos juntos, la vida entera Gúmer, no te enfades conmigo, por favor...

Gúmer, ataviado con sus galas de mariachi, pistola al cinto con la que dar consejos, soltó poco a poco al tembloroso vendedor de lotería que había estado a punto de adquirir un boleto para perder los dientes. Cuando por fin volvió a pisar tierra firme, al verle tan indefenso y tan pequeño, un sentimiento de ternura fue apoderándose de su amigo, que le pidió disculpas al tiempo que reconocía que llevaba unos días muy nervioso y que eso le volvía violento e irascible. Tico, que todo lo que tenía de bocazas lo tenía de inocente, le quitó importancia al incidente con un gesto de la mano que parecía querer borrar el recuerdo en el aire, y se fundió en un abrazo con su amigo. Pero lo cierto era que en cuanto tomaba dos copas de más, circunstancia que se producía a diario, no sabía guardar un secreto y era un peligro andante. El cántaro había ido tantas veces a la fuente que a esas horas la condena ya había sido dictada.

27

La calle mayor del pueblo desembocaba en el mar. Corría perpendicular a la costanera, convertida por el paso de los años y de un puñado de sucesivos alcaldes en un paseo marítimo hecho de baldosas de granito que había que reparar con cada tormenta o con cada crecida excesiva de la marea. Decían los viejos del lugar que cada nuevo alcalde implicaba cinco centímetros más de asfalto. Y así, como si del tronco de un árbol se tratara, podían saberse los años transcurridos gracias a los metros ganados en altura por la sucesión de asfaltados de una calle. Con respecto al paseo había división de opiniones. Algunos consideraban que ahora estaba más limpio y resultaba más cómodo para caminar. Pero lo cierto era, como afirmaban otros, que también había perdido buena parte de su encanto salvaje, dunas de arena ahora domadas por la mano del hombre que en su soberbia es incapaz de aceptar que, contra la naturaleza, no hay quien pueda.

Los vientos y la sal habían corroído la pintura de la barandilla, dejando un reguero de desconchones que ni siquiera la tenue luz de las farolas podía disimular. A la salida del pueblo, a no más de quince minutos de caminata, el paseo desaparecía de repente, un golpe abrupto que ponía fin al progreso para dejar paso nuevamente a la naturaleza. Un pequeño salto y uno volvía a pisar la tierra y la arena del camino que discurría paralelo al mar. Un poco más allá, justo tras superar un recodo que ocultaba ya las blancas siluetas de las casas encaladas del pueblo, la piedra de la pequeña montaña que custodiaba la playa abría sus carnes para formar una cueva desde cuyo interior, como si de una caracola se tratase, podían oírse las olas del mar al romper sobre la arena de la playa. Todos los chavales del pueblo conocían el lugar, al que alguien años atrás había bautizado como la cueva de los arrayanes. La cueva tan pronto podía ser el escondite de un tesoro como el castillo de una princesa, el refugio de unos piratas o la puerta de entrada al centro de la tierra, todo en función de la imaginación de quienes la utilizaban como secreto escondite y campo de juegos.

Lo primero que sorprendió a Vilches cuando llegó a la cueva tras una caminata por el paseo ahora forrado de cemento que pisaba por primera vez, fue que estuviera vacía. En sus años de juventud, a esas horas de caída de la tarde, era raro no encontrarse a alguien allí, ya fueran críos jugando a robinsones o parejas de enamorados mirando acaramelados la puesta de sol. Sin embargo, ese día no encontró a nadie, sólo la soledad del lugar y el silencio dulcemente profanado por el rítmico y cadencioso vaivén de las olas.

Remedios Mudela se hizo esperar. Llegó con retraso, tal como solía hacer cuando eran unos chavales, y esto, lejos de molestarle, le trajo agradables recuerdos de otro tiempo. Se sentó a su lado, sin decir nada, ni un cómo estás salió de sus labios. Así permanecieron en silencio un buen rato, uno al lado del otro, mirando al mar, como si ambos trataran de sintonizar al compás un canal que los llevara muy atrás en el tiempo. Sus cuerpos habían envejecido, y la inocencia y la ingenuidad la habían perdido cuando todo ocurrió. Pero en esencia eran los mismos, el novio y la mejor amiga de Macarena sentados en la misma roca, mirando el mismo mar. Sólo habían cambiado dos cosas: había pasado medio siglo y ella no estaba. Cincuenta años desaparecida, ausente. Un inmenso vacío. Y nada más.

Fue Vilches el que finalmente habló:

—¿Ya no quedan chavales en este pueblo?

—Sí, claro que quedan —respondió Remedios— ¿Por qué lo dices?

—Porque no hay nadie en la cueva. En nuestra época eso no pasaba, a esta hora casi había que pedir la vez, como en la pescadería, para encontrar un sitio.

Remedios se rio del comentario de Vilches, una risa estruendosa y fuera de lugar, algo grosera incluso, que en nada se parecía a la dulzura de la de Macarena.

—Lo que ocurre —contestó— es que ahora la gente joven está más ocupada con la tecnología, videojuegos, teléfonos móviles, ya sabes Vilches, todos esos aparatos. En nuestra época nos bastaba con mucho menos, con estar juntos, con el mar.

—Y con la imaginación. La de historias que imaginamos en esta cueva.

Remedios miró al horizonte con gesto nostálgico.

—Eran otros tiempos. No podemos decir que fueran mejores ni peores, simplemente eran diferentes. Ahora los jóvenes se divierten de otra manera, no es más que eso.

—No sé, quizás tengas razón, quizás tan solo se trate de que me he hecho ya viejo.

—Nos hemos hecho viejos, querido Vilches, a todos nos ha devorado la edad. ¿Y sabes qué es lo peor de envejecer? Pues que ya no tiene vuelta atrás.

Ahora fue Vilches el que se quedó pensativo y con gesto de melancolía.

—Esa es una gran verdad. Ya nada tiene vuelta atrás.

Los antiguos amigos siguieron allí, hombro con hombro, viendo cómo el sol desaparecía por el horizonte, tragado por el mar. Recrearon historias compartidas, sazonadas todas ellas con ese poso de ternura que dejan los buenos viejos tiempos. Después Remedios le contó lo que había ocurrido en el pueblo tras su marcha. Vilches se había ido en cuanto se cerró la investigación policial, incapaces los guardianes de la ley de encontrar un mínimo resquicio que pudiera dar información sobre qué fue de la chica desaparecida. El caso, pues, se cerró en falso por falta de pista fiable alguna que pudiera poner un poco de luz al misterio. Sólo el paso del tiempo, en concreto los años que establece la ley, consiguieron que se declarara legalmente fallecida a la chica, pero todos sabían que aquello no era más que otra mentira, una solución chapucera para salir del paso y permitir que la vida continuara con normalidad, como si tal cosa fuera posible tras lo que había sucedido.

Remedios le contó que, al principio, a todos les supuso un gran esfuerzo seguir adelante, pero que el tiempo había actuado como bálsamo que alivia las heridas y, poco a poco, todos fueron recuperando sus rutinas. Sí tuvo, sin embargo, una consecuencia devastadora para la pandilla, que desde entonces dejó de existir, como si ella misma también hubiera desaparecido, también se hubiera evaporado sin dejar rastro. Lo que había sucedido, reflexionaba Remedios, era que de repente todos se habían hecho mayores, la infancia y la adolescencia se habían interrumpido con la brusquedad con la que un chorro de agua fría corta la cocción, y los inseparables amigos habían perdido en una sola mano su condición y su esencia.

Vilches, por su parte, liquidó su medio siglo de ausencia con unas pocas palabras, un resumen muy parco para tantas cosas cómo había hecho en ese tiempo. Tras la desaparición regresó a casa con sus padres, en la ciudad, pero ya nunca más quiso ir al pueblo a pasar las vacaciones. Los recuerdos eran demasiado dolorosos —decía— y no se sintió con fuerzas para volver. Después había ido a la universidad, se había licenciado con un buen expediente que le permitió elegir un trabajo interesante en el que conoció a gente más interesante que a su vez le presentó a gente aún más interesante. Cambió varias veces de empleo, de casa, de ciudad y hasta de país, hasta sumar tantos años residiendo por medio mundo que había terminado por convertirse en un desarraigado. Pero por mucho que intente evitarlo, dijo, uno es del lugar al que pertenecen sus raíces, y ahora, estrenada ya la edad de jubilación, la cabra había tirado irremediablemente al monte y había llevado sus pasos de nuevo a sus orígenes.

Entonces Remedios habló sin que nadie le preguntara, con la cabeza fija entre las piernas, mirando la arena que estaba a sus pies.

—Yo creo que Macarena se fue. Supongo que se hartó de todo y que decidió desaparecer, empezar una vida nueva, con otro nombre y otra identidad, muy lejos de aquí. En el fondo este pueblo se le quedaba pequeño, y entre todos la tenían atrapada. La chica buena se cansó de serlo y decidió volar, ser libre. Aquí iban a terminar por convertirla en una mascota, en la criada de todos. Sólo le reprocho que no nos hubiera dicho nada, pero entiendo que quizás fuera necesario hacerlo así para que su plan tuviera éxito. No sé, esa es la conclusión a la que he llegado tras tantos años.

A la confesión siguió un silencio tenso que volvió a romper Remedios.

—¿Y tú qué piensas, Vilches, piensas que Macarena decidió irse?

Vilches Galván la miró y esbozó una media sonrisa, un gesto de resignación. Le dio un beso y se fue. Sin decir nada. Se fue. Remedios Mudela, confidente de Macarena y esposa del boticario, se quedó pensativa y sola en la cueva de los arrayanes, una cueva que, como en el cuento de Alí Babá, guardaba más secretos que arena y humedad.

28

El día en que Macarena desapareció, Gumersindo Azpeitia Laperousse, más conocido como Gúmer, de dieciocho años y vecino de la localidad, se pasó buena parte de la jornada haciendo gestiones en la capital. Acababa de matricularse en la carrera de farmacia, que empezaría a cursar a la vuelta del verano, y eran aún muchas las tareas administrativas que le quedaban por realizar antes de que comenzaran las clases. Entre ellas, buscar un alojamiento en la ciudad que estuviera cercano, a poder ser, al campus universitario. Él era partidario de alquilar un apartamento o, en su defecto, una habitación en un piso compartido con otros estudiantes. Sabía que eso le daría una mayor libertad, y fantaseaba con las fiestas que iba a montar en ese oasis de golfos folladores en que esperaba convertir la casa. Sus padres, sin embargo, eran más partidarios de inscribirle en alguno de los muchos colegios mayores próximos a la universidad, donde esperaban, quizás con una cierta dosis de ingenuidad, que su hijo estuviera más controlado y se centrara en lo realmente importante, que era estudiar.

En estas estaba cuando llegó la hora del almuerzo. Así que buscó mesa en un conocido restaurante del casco histórico y se dejó aconsejar por el camarero, dato que a los investigadores les pareció irrelevante, por lo que le pidieron que se ciñera a los hechos. Terminada la comida, que resultó ser bastante copiosa, y tras tomarse un café y una copita de aguardiente para ayudarle a hacer la digestión, se fue a la estación de autobuses y tomó el primero que partía en su ruta hacia la costa. Cuando llegó al pueblo se fue a casa, pero no encontró a nadie. Se dirigió entonces a la botica que regentaban sus padres, la misma que algún día no muy lejano habría de heredar, y allí charló durante un buen rato con su madre, a la que puso al día de sus andanzas por la capital. Volvieron a discutir sobre la idoneidad de elegir un buen colegio mayor, a poder ser regentado por curas que pusieran un poco de orden y le transmitieran la disciplina que tan necesaria le iba a resultar en los años de estudio que le quedaban por delante, o bien compartir un apartamento que le saldría más barato y le daría mayor libertad. Aparcaron la decisión al fin de semana, donde tendrían más tiempo para estar toda la familia junta y buscar la mejor solución.

Ganar tiempo significaba para Gúmer ganar una primera batalla en lo que él consideraba una encarnizada lucha por su independencia. Contento, pues, con el resultado de la conversación, comenzó a tararear una ranchera, como hacía siempre que estaba alegre, y se fue paseando hasta la plaza del pueblo. Mediada la tarde aún hacía demasiado calor como para callejear sin rumbo a la solana, así que se refugió en los soportales, donde no tardó en encontrarse con sus amigos de la pandilla, que venían bien abastecidos de bebida y hielo en dos grandes bolsas de plástico con el logotipo del supermercado en el que acababan de comprar el alcohol.

Se fueron juntos al paseo marítimo y allí caminaron hasta un lugar apartado del muelle, alejados de la gente que paseaba a esas horas por el malecón. Bien pertrechados de provisiones, con el mar a sus pies, pasaron un buen rato disfrutando del inigualable placer de no hacer nada. Gúmer aseguraba que sus amigos le pidieron que cantara una de las suyas y ante los ruegos de la audiencia no le quedó más remedio que arrancarse con un corrido. Al percatarse del escepticismo de los agentes en lo relativo al fervor de su público, Gúmer se extendió en una larga explicación sobre sus habilidades musicales y su creencia, prácticamente certeza, de que tenía alma mexicana. No lo recordaba con exactitud, pero desde luego fue en torno a esas fechas cuando comenzó a fraguarse en su mente la idea de crear un mariachi. Reconoció que, al principio, todos lo tomaron por loco, pero que ante su determinación y su constancia nadie dudaba ya de que iba a hacer realidad su sueño. En el atestado consta que fue reprendido nuevamente por los investigadores, al aportar información que no venía al caso y a nadie importaba.

Cuando cayó la noche, continuó su relato, abandonaron su improvisado campamento junto al mar y regresaron al pueblo para seguir con la fiesta. Juntos fueron hasta la discoteca, que esa noche estaba abarrotada, aunque había un ambiente que no les gustó. De todos modos, apenas tuvieron ocasión de comprobarlo, porque los porteros que había esa noche y a los que no conocían, no les permitieron la entrada al local, así que se quedaron haciendo la fiesta por su cuenta en el aparcamiento junto a otros muchos jóvenes que se encontraban en su misma situación.

La combinación de sus ojos azules con su gracejo andaluz era imbatible, y lo convertía en objeto de deseo de cuantas mujeres se cruzaban a su paso. Sus amigos, en cambio, no creían que tal cosa ocurriera, pues los celos son universales y no distinguen entre afines y desconocidos. No era ese, en cualquier caso, el asunto que interesaba en esos momentos, se apresuró a decir antes de que los agentes le regañaran de nuevo, pues era muy consciente de que lo importante en ese momento era el desasosiego causado por la desaparición de una chica joven tan dulce y querida como Macarena.

Cuando se despertó a la mañana siguiente —continuaba su relato Gúmer— se fue directamente a la estación de autobuses para regresar a la ciudad, pues aún le quedaban gestiones que realizar antes de bajar la persiana por completo y comenzar a disfrutar de unas vacaciones durante las que no pensaba dedicar ni un solo minuto a pensar en los estudios que debía iniciar en otoño. No fue hasta que regresó, casi ya al final de la tarde, cuando se enteró de lo que había ocurrido con su amiga. No recordaba quién se lo dijo, aunque a esas alturas ya no se hablaba de otra cosa en todo el pueblo. La noticia había revolucionado la vida de los vecinos, dejándolos trastornados, vecinos que permanecían incrédulos ante una realidad difícil de aceptar en un pacífico pueblo en el que nunca ocurría nada malo. Esas cosas pasaban en las películas, si acaso en las grandes ciudades, lugares en los que el mal campaba a sus anchas, según decían los viejos, pero era imposible que, en un lugar idílico a la vera del mar, un lugar en el que todo el mundo se conocía y convivía en armonía, pudiera suceder algo tan monstruoso como la desaparición de una chiquilla. Si además se trataba de un ángel tan bello y lleno de vida como era el caso, todo resultaba aún más increíble e insólito.

Obviamente, y debido a sus continuos viajes a la capital en esos días, no había visto a la chica desde hacía un par de días, y coincidía con los demás entrevistados en que le resultaba impensable que Macarena se hubiera fugado sin avisar a nadie. Tampoco le constaba que ella tuviera problema alguno que la hubiera obligado a desaparecer, o que tuviera algún enemigo que quisiera hacerle daño. Es más, era inconcebible que alguien quisiera hacerle daño, porque no existía un ser humano más adorable y encantador que su amiga. En esto parecía existir una absoluta unanimidad entre todos aquellos que la conocieron y que fueron interrogados al respecto, lo cual no hacía más que añadir un factor adicional de incredulidad e inquietud a la ya de por sí desesperada situación.

A grandes rasgos, y sin perjuicio de haber obviado en el informe algunas consideraciones y apreciaciones personales que no venían al caso, esto fue lo que declaró Gumersindo Azpeitia Laperousse, más conocido como Gúmer, de dieciocho años y vecino de la localidad, durante las investigaciones llevadas a cabo por la policía tras la desaparición de Macarena Albanta.

Y, sin embargo, nada de lo que había dicho era cierto.

29

Cuando por fin llegaron al caladero, Valdivia paró los motores y ordenó a sus hombres que prepararan las artes de pesca. A esas alturas de su vida ya no tenía necesidad de supervisar la maniobra, su gente eran pescadores competentes y experimentados, y de sobra sabían lo que hacían. El patrón aprovechó para encerrarse en la timonera, prepararse un café, encender un cigarrillo, y decidirse a abrir la cajita de latón que llevaba medio siglo escondida en el desván de su casa. Esa mañana había tomado una decisión. Se levantó aún más temprano que de costumbre, cuidándose de no despertar a su mujer, subió al altillo y se guardó la cajita en un bolsillo de su gabán azul. Luego zarpó como cada día y, sólo ahora, seguro de que nadie iba a molestarle, pues sus hombres andaban muy ocupados, lanzando y recogiendo redes, se disponía a abrirla. Quería ver su contenido por última vez. De vez en cuando, a lo largo de todos estos años, le gustaba encerrarse en soledad y recordar tiempos pasados. Allí, en la cajita, guardaba viejas fotos de la cuadrilla de amigos, de aquellos días en los que fueron felices. Pero por encima de todo lo que aún le seguía fascinando, a pesar del paso del tiempo transcurrido, eran las imágenes de Macarena, tan sonriente, tan hermosa, tan llena de vida. También guardaba un mechón de pelo rubio de la chica, un recuerdo del que nunca había querido desprenderse, y alguna carta de la muchacha escrita con su letra redonda y perfecta, sin una sola falta de ortografía, trazando pequeños círculos en lugar de puntos sobre las íes.

Ahora, con el regreso de Vilches, todos aquellos recuerdos le quemaban en las manos. Ya no resultaba prudente conservarlos durante más tiempo, porque si alguien encontraba la cajita de metal podría hacer preguntas que no sabría cómo responder, por eso lo mejor era, con todo el dolor de su corazón, desprenderse de ella. Tras disfrutar de su contenido por última vez, la llenó con plomo y con piedras, la ató fuertemente con una cuerda de esparto bien resistente al agua, y se la volvió a guardar en el bolsillo del gabán. Cuando terminaron la jornada y emprendieron el regreso a puerto, mientras la tripulación se tomaba su merecido descanso y daba cuenta de unos bocadillos, el viejo Valdivia fue hasta la popa y, asegurándose de que nadie lo viera, lanzó la cajita al mar. La estela que creaban los motores de la chalupa en su navegar rindieron los honores a los recuerdos del pescador. Y el mar, el inmenso mar que todo lo engulle, le hizo de sepultura.

Ya nadie podría ver jamás el contenido de esa caja. Si acaso sólo alguna sirena fisgona, pero esas eran las que menos le preocupaban al experimentado pescador.

30

La insensata idea fue de Remedios. Ahora que Vilches había regresado después de tantos años y que todos volvían a estar juntos de nuevo, debía organizar un encuentro para celebrarlo, volver a reunir a todos los miembros de la pandilla tal como solían hacer tantos años atrás, antes de que ocurriera la desgracia. Comentó la idea con su marido, una tarde en que la botica estaba particularmente tranquila. No tenía muy claro que a Gúmer le agradara el plan, pues llevaba ya unos días poco comunicativo, sin demasiadas ganas de socializar. Nada serio hasta que dejó de cantar rancheras, entonces su mujer empezó a preocuparse de verdad, pues esa alegría no se le había quitado desde que se conocían. Sin embargo, y para su sorpresa, el boticario no puso inconveniente alguno. Despachó el asunto con un escueto y comprensivo «lo que tú quieras, cariño» que, a decir verdad, sonaba a indiferencia y resignación. Pero a ella le bastó esa respuesta para poner en marcha los preparativos de lo que habría de ser una gran fiesta de reencuentro, una celebración en la que todos volverían a comer y a beber juntos, a bailar, a reírse, recordando anécdotas de un tiempo que ya no volverá. En definitiva, una pésima idea.

Aprovechando el viento favorable y con el noble propósito de alegrar a su decaído esposo, Remedios le hizo prometer que les cantaría alguna de sus canciones. El boticario zanjó momentáneamente la cuestión con un «ya veremos» que lo mismo servía para afirmar que para negar, pero que por encima de todo a nada comprometía. La verdad era que en la cabeza de Gúmer no había espacio más que para sus deudas de juego, que se habían disparado hasta alcanzar cuantías desorbitadas que no le iba a resultar sencillo afrontar. Eso era lo único que ocupaba sus pensamientos, eso y la amenaza que significaba el Tachuelas que lo sabía todo. Lo demás parecía importarle bien poco.

Lo primero que hizo Remedios fue confeccionar la lista de invitados. Añadió y tachó nombres. Le dio muchas vueltas hasta llegar a la conclusión de que sólo debían estar los integrantes de pleno derecho de la pandilla. No se iba a incluir a otros amigos que no eran comunes a todos ellos, o a conocidos de las épocas de juventud con los que tenían una relación más o menos cercana. Sólo aquellos que formaban el núcleo central del grupo serían los convocados por Remedios. Tampoco estarían invitados los consortes, o los hijos o familiares de cualquiera de ellos. Para verse con la familia tenían todos los días del año. De lo que se trataba en este caso era de volver a celebrar la amistad de un grupo de chavales que aprendieron juntos a vivir, y que, juntos, cruzaron la frontera que separa la infancia de la edad adulta. Iban a estar todos reunidos nuevamente, los inseparables muchachos que soñaban con comerse el mundo. Sólo faltaría ella, Macarena, o eso era al menos lo que creían, porque la realidad no tardaría en demostrarles que la dulce amiga desaparecida iba a estar más presente de lo que algunos hubieran deseado, como si fuera el elefante que está presente en la habitación, aunque nadie lo mencione.

Una vez seleccionados los participantes había que elegir el lugar. Remedios se planteó varias posibilidades, desde reservar unas mesas discretas en la tasca de Santacruz hasta organizar el encuentro en su propia casa. Pero como era verano y el clima acompañaba, decidió ser fiel al pasado, al espíritu de otros veranos de su adolescencia en los que todo ocurría al aire libre, así que pensó que no había mejor sitio que la cueva de los arrayanes, en la que solían juntarse en su juventud. Así se lo planteó a su marido, más por animarle y hacerle partícipe de los preparativos que por la necesidad de obtener su aprobación. La respuesta, de todos modos, fue la esperada, un leve gruñido procedente de otra dimensión que susurraba algo así como «lo que tú quieras, cariño». Remedios comenzaba a pensar que si le proponía tirarse por el balcón o prenderle fuego a la casa recibiría como respuesta la misma indolente expresión «lo que tú quieras, cariño», pues era evidente que la mente del boticario se hallaba a mucha distancia de allí.

Decididos los invitados y el lugar de celebración, faltaba por concretar el menú y el día y la hora del encuentro. Lo primero resultó sencillo. El sitio elegido pedía algo informal, básico y simple. Preparó, pues, un pícnic veraniego compuesto por los platos habituales en este tipo de pitanzas, tortilla de patatas, filetes empanados, jamón y otras chacinas, además de bocadillos de sardinas y de bonito en escabeche. Abundante vino fresco en botas y porrones y agua en botijo, como se llevaba antiguamente. Y de postre pastelitos y buñuelos caseros. Todo un viaje al pasado.

En cuanto al día y la hora del encuentro, las cosas no resultaron tan simples. Hubo que hacer varias consultas para buscar el momento que a todos les viniera bien. El que no tenía que salir a faenar tenía que decir misa, o abrir la bodega, o mover el culo sobre un escenario. Lo que ocurría, en realidad, era que nadie parecía demasiado entusiasmado con la idea. Pero tanta fue su insistencia que al final lo logró, todos pusieron algo de su parte y finalmente consiguieron fijar una fecha. En lo que ninguno reparó fue en que la casualidad había querido que ese día coincidiera exactamente con el aniversario de la desaparición de Macarena. El único que sí fue consciente de la coincidencia era Vilches, que parecía llevar grabado a fuego cada minuto de lo ocurrido tantos años atrás. Para él parecía que el tiempo no hubiera pasado, que todo había sucedido ayer, y ni el sufrimiento ni el dolor se habían esfumado, tal como parecía ocurrirle al resto. En cualquier caso, no dijo nada, ni siquiera le interesó saber si la fecha había sido fijada de forma deliberada como una provocación o si no era más que el fruto de la casualidad. Lo importante era que todos volverían a juntarse, y quizás esta sería la ocasión perfecta para decirse todo aquello que por miedo o por cobardía no se habían dicho cuando debían haberlo hecho.

Remedios fue la primera en llegar, tal como le correspondía por su condición de anfitriona de la reunión. Lo hizo en coche, ahora que la nueva carretera la dejaba a apenas unos pocos metros de la entrada de la cueva. En el maletero llevaba todo lo que había preparado, comida y bebida abundante como para saciar a un regimiento. También llevó la guitarra de su marido con la esperanza de que este se despojara de la capa de tristeza que últimamente lo embargaba y se animara a cantar alguna de las melodías que formaban su repertorio. Finalmente, extendió un par de grandes manteles de cuadros que desplegó sobre el suelo de la cueva donde iban a sentarse, y de una gran cesta de mimbre sacó una cubertería que no desmerecía a la de las mejores mesas. Y con el escenario ya perfectamente preparado comenzó la función.

Poco a poco fueron llegando los invitados, incluido el padre Querol que vino en un ciclomotor destartalado que fácilmente podía ser de su misma quinta. Se saludaron con fingida cordialidad, pero había algo extraño en el ambiente, una energía negativa que resultaba incómoda. Todos estaban tan a la defensiva que aquello más que una fiesta de reencuentro parecía un duelo al atardecer. Había una presencia que sin ser corpórea ocupaba un espacio enorme, una protagonista que eclipsaba cualquier conversación. Macarena estaba allí, presente como una sombra que te sigue a todas partes y de la que, por mucho que lo intentes, no puedes deshacerte. Sin necesidad de estar en boca de nadie, la amiga desaparecida estaba presente en realidad en la de todos, como un ser fantasmal cuya presencia percibimos pero no somos capaces de ver.

La elección del formato y el lugar tampoco había resultado muy afortunado. Por mucho que el sitio les trajera gratos recuerdos a todos, recuerdos de gloriosas tardes de los veranos de infancia, ya se les había pasado el tren de la juventud, y ahora no eran más que un grupo de adultos a los que la artritis y el reúma torturaban sin piedad. Demasiada humedad en la cueva, demasiada incomodidad, la de sentarse en el suelo cuando las rodillas crujen y chirrían como engranajes sin engrasar. Nada de ello ayudaba a que estuvieran cómodos, y tampoco colaboraba mucho el ritmo renqueante y trastabillado de una conversación que se resistía a fluir. Se les notaba incómodos, con esa resignación que se produce cuando uno tiene que acudir a un lugar o a una cita que no le resulta agradable, pero que sabe que debe atender. Como una visita al dentista o como quien se reúne con un inspector de Hacienda.

Nadie comía gran cosa; sin embargo, el vino sí corría con generosidad, con el evidente anhelo en la mente de todos de que hiciera el trance más llevadero. Gúmer seguía encerrado en su mundo secreto, poblado de deudas, atormentado por naipes crueles e ingratos por mucho corazón que llevaran dibujado, cartas que sólo traían miseria, aunque estuviesen repletas de diamantes, que no eran heraldos de la suerte, aunque estuvieran cargadas de tréboles.

Valdivia había iniciado una conversación sobre los efectos perniciosos de la pesca de arrastre que, a su juicio, iba a esquilmar el fondo de los mares dejando sin sustento a las generaciones venideras. Sólo parecía escucharle el padre Querol quien, como buen pastor, escuchaba con paciencia y comprensión a su grey. El Tachuelas bebía sin control, lo que inefablemente llevaba a toda la pandilla a preguntarse dónde metía aquel hombre tanto alcohol, pues su cuerpo de tinaja no daba para almacenar tantos litros.

El bodeguero Santacruz y Jacinto *la Perdularia* hablaban sobre la situación del sector del ocio, y de cómo en los últimos años habían ido cayendo uno tras otro los negocios tradicionales del sector, bares y tabernas que dejaban paso a locales modernos que a ellos les parecían insulsos, sin alma, amueblados con supuesto mobiliario de diseño que no era más que plástico de mala calidad, lugares sin la solera que sólo otorga la pátina del tiempo. Pero al parecer eso era lo que demandaban las nuevas generaciones y el turismo de masas que, como un monstruo voraz, estaba devorando la gracia y la magia del viejo pueblo marinero. Su vieja bodega seguía almacenando y despachando vinos tal como se hacía cinco o seis generaciones atrás, mucho antes de que Santacruz la comprara aquel verano en que todo ocurrió. Pero de seguir así las cosas, pronto la vendería al desorbitado precio que algún rico empresario de ciudad le había ofrecido, lo que tendría el doble efecto de destrozar un local emblemático de la vida tradicional de la localidad, y el de asegurar su jubilación y el bienestar de los suyos. Contradicciones de la modernidad.

Jacinto asentía resignado mientras contaba que el mítico Xanadú estaba en las últimas y que los dueños ya le habían avisado que, de seguir así, pronto echarían el cierre y se acabarían las actuaciones de *cabaret*, las candilejas y las luces de neón.

La clientela había cambiado y los jóvenes ya no necesitaban de lupanares y *cabarets* golfos como antaño para aliviar sus urgencias. Ahora todo estaba en ese maldito internet que Jacinto jamás entendería.

—Han matado el misterio —decía el travesti— la seducción, la emoción de lo prohibido, la picaresca, el placer de ir descubriendo poco a poco el velo que oculta el tesoro. Ahora todo es inmediatez y pornografía, se han cargado el erotismo. Este mundo ya no es el mío.

—Eres una romántica —le contestaba Romano Santacruz— si en el fondo eres una gatita de angora.

Jacinto ronroneaba y se acercaba a él melosamente en busca de una caricia, hasta que el vozarrón del tabernero rompía el hechizo con un desabrido «ni te me acerques, maricón» que, invariablemente, provocaba la carcajada de la concurrencia. Pero esta vez no ocurrió así, nadie parecía tener ni el cuerpo ni el espíritu receptivos para la fiesta y la risa, bien al contrario, parecía que doblaban a duelo.

Vilches Galván, por su parte, trataba de trabar conversación con unos y con otros. Todos le escuchaban con atención e incluso con cierta amabilidad, pero lo cierto era que se percibía una corriente de fondo que reflejaba incomodidad y distancia. En realidad, Vilches se había convertido para todos en un extraño, un ser del que tenían recuerdos de otros tiempos, pero que hacía ya mucho que había desaparecido de sus vidas. Medio siglo puede ser un suspiro o una distancia inabarcable, un lapso irrecuperable que abre abismos que ya no se pueden franquear. Lo mejor era entenderlo así y aceptarlo. A nadie le gusta que vengan a visitarle los fantasmas del pasado, y más si no han sido ni tan siquiera invitados al baile.

—Venga, alegría, que esto parece un funeral. Trae acá esa guitarra, *pisha*, que me voy a arrancar por bulerías.

Tico Tachuelas, cargado de uvas, trató de llenar la cueva de alegría, y aunque sería exagerado decir que había conseguido que bailaran hasta los arrayanes, había que reconocerle que trajo un soplo de aire fresco que ventiló el ambiente tenso y cortante que hasta entonces amenazaba con arruinar el encuentro.

En otro tiempo no habrían dudado en zambullirse en el mar, nadar y jugar con las olas para después volver a la entrada de la cueva a secarse al sol como si fueran odres de vino, que era de hecho en lo que iban camino de convertirse tras tanto trago. Pero los cuerpos ya no estaban para chapuzones, y las articulaciones se empeñaban en recordarles que los buenos tiempos hacía años que se habían ido.

Un par de bocados más a la comida que Remedios había preparado con tanto esmero, regados con más alcohol, y decidieron que la excursión ya no daba para más, había dado de sí todo lo que de ella podía esperarse. Era hora de recoger y volver a la civilización.

31

Tuvo que ir venciendo su timidez por asaltos, como si se tratara de un combate de boxeo contra su propia bisoñez. El primer asalto lo ganó cuando se atrevió a cogerla de la mano. Qué agradable resultaba pasear así por la ribera del Danubio como dos enamorados. Con el lento discurrir de las aguas a su costado sólo faltaba la música de los violines para poner la banda sonora al más bucólico de los atardeceres.

Ya con el sol comenzando a ocultarse se internaron camino del centro, primero la catedral de San Esteban y un poco más allá el impresionante edificio de la ópera, apabullando con su elegante mole la gran plaza. Para disputar el segundo asalto necesitó nutrirse de una fuerte dosis de azúcar, dos strudel de manzana con nata que endulzaron aún más el momento. Entonces se armó de valor para cruzar el primer Rubicón y la besó. Fue un beso suave, de labios tibios que anticipaban otros más húmedos y lúbricos. Un beso que al principio pareció un beso robado y que se fue prolongando en el tiempo, un tiempo que parecía infinito, aunque sólo duró unos segundos. A través de las cristaleras del café del hotel Sacher se veía la calle de la Filarmónica, recién iluminada por las farolas de gas que luchaban por presentar batalla a la noche, que comenzaba a abrirse paso frente a los últimos estertores de luz.

El tercer asaltó se jugó con la complicidad de esa oscuridad que ya campaba a sus anchas. No fue necesario decirse nada, simplemente dejaron que sus pasos los condujeran al portal de casa. Una vez dentro, como si llevaran media vida haciendo el mismo gesto, subieron hasta el apartamento de Adolf. Era la primera vez que ella lo pisaba y, sin embargo, le pareció que todo estaba perfectamente ordenado, en su sitio, como si hubiera sido ella misma la que lo hubiera colocado todo. Algo insólito le estaba ocurriendo. Adolf no era un chico al que acabara de conocer, era un alma gemela a la que llevaba mucho tiempo esperando, como si ambos hubiesen estado ya unidos en una vida anterior y volvieran ahora a reencontrarse en este mundo. Eran dos amantes que se juntaban de nuevo tras una larga travesía del desierto en la que no habían hecho otra cosa que buscarse. Por eso, la primera vez que se acostaron juntos aquella noche vienesa en la que el frío del otoño tomaba el relevo a un verano languideciente, ambos sintieron que sus cuerpos —ahora sí— tenían sentido y habían encontrado su lugar en el mundo.

Él le pidió que se quedara a dormir. Ella habría dado media vida porque así fuera, pero todo había sucedido con tanta celeridad que no había tenido tiempo de avisar en casa y no quiso preocupar innecesariamente a sus padres. De todos modos, no resultó excesivamente traumático para ninguno de los dos, pues ambos sabían que serían muchas las noches por venir en las que el amanecer los habría de sorprender abrazados. Lo que había sucedido esa tarde no iba a quedarse en una anécdota o en un grato recuerdo, era algo demasiado profundo, algo que ya no les abandonaría durante el resto de sus vidas. Así lo entendieron ambos y por ello la despedida fue un dulce hasta luego. Los dos apartamentos estaban separados por una simple pared, y no había en el mundo tabique lo suficientemente sólido como para interponerse entre ellos. Esa noche, ya cada uno arropado en su cama, escuchando el golpeo cadencioso de la lluvia en los cristales, se durmieron los amantes con un dulce sabor a pastel de manzana de amor en los labios.

—

Como cada sábado desde hace ya seis décadas, Adolf Von Schulle desciende el sendero que lleva desde la casa de la colina hasta la plaza del pueblo. Va dejando a un lado el paseo marítimo y la playa, las casitas blancas y bajas de pescadores, la escuela, la iglesia, el ayuntamiento y la tasca, hasta llegar a la panadería, de cuyo obrador salía el mejor pastel de manzana al sur de Viena.

Los olores son potenciadores del recuerdo. Tienen la capacidad de transportarnos a tiempos pasados, a lugares lejanos que, gracias a los aromas, vuelven a estar presentes en nuestras vidas. La confitería jugaba ese papel de baúl de viejas sensaciones.

Al arisco alemán ya no le hacía falta hablar con el dependiente. Él siempre compraba lo mismo, todas las semanas desde hacía tantos años como los que tenía el establecimiento, inaugurado en la posguerra como si su apertura fuera el verdadero armisticio que sellaba de nuevo la convivencia en paz, que el pan y los dulces unen más a los pueblos que las soflamas y las banderas. Apenas tenía que saludar y musitar un «lo de siempre, por favor», dejar las monedas sobre el mostrador y la transacción quedaba realizada. Ese gesto tan simple bastaba para llevar felicidad a su mundo.

Con su tarta de manzana en la bolsa de la compra regresaba feliz a su casa. Caminaba más rápido, como si tuviera prisa por llegar. Subía la cuesta de la colina con agilidad de atleta, abría la verja, acariciaba a los perros que salían a recibirle, y ya, resguardado en su mundo, aislado de la maldad que habitaba en el exterior, disfrutaba del recuerdo de un strudel de manzana con nata que le hacía viajar a orillas del Danubio, a atardeceres fríos refugiado en los cafés de la ciudad imperial mientras acariciaba las manos tibias de la mujer a la que ama, la chica de los ojos del color de la aceituna que ha venido a este mundo para dar sentido a su vida.

32

De tanto darle al porrón durante la excursión se había encendido ya en algunos la llama de la parranda, y no estaban dispuestos a dejar que la noche terminara tan pronto. Una rápida consulta entre el plantel convocado arrojó los resultados esperados: cinco votos a favor de continuar la fiesta —los de Tachuelas, Jacinto, Remedios, Vilches y Romano— dos en contra —los de Valdivia y el cura Querol— y un no sabe no contesta —el de Gúmer— que seguía ausente pensando en sus deudas. Aprobado por mayoría absoluta —exclamó con entusiasmo el canijo— seguidme. Y como si se tratara del flautista del cuento o de mamá pato, se llevó tras de sí a la prole en busca de un bar en el que continuar la fiesta.

Tras probar en varios de los nuevos locales de copas que se habían puesto de moda y que duraban abiertos lo que sus dueños tardaban en blanquear la inversión, recalaron en una moderna discoteca que había sustituido al mítico galpón iluminado de neón de su juventud en la que tantas noches habían pasado. A su sustituta ya no acudían los chavales del pueblo, incapaces de pagar las sumar desorbitadas que te pedían por un combinado de garrafón servido en un vaso que podría haberse usado para hacerle unos cristales nuevos a las gafas del cegato Tachuelas. Ellos se habían convertido en unos señores mayores, de esos que de jóvenes les parecían patéticos vejestorios, que mejor estarían encerrados en sus casas. Y ahora todo lo que habían escupido al cielo les caía con saña sobre sus caras, y los lamentables vejestorios, presagiada carne de geriátrico, eran ellos.

No fue necesario que pasaran más de diez minutos en la discoteca para darse cuenta de que, desgraciadamente, algo de verdad había en semejante afirmación. En la pista desentonaban con el resto de clientes, ostensiblemente más jóvenes que ellos, que bailaban unos ritmos y unas canciones que les resultaban atonales, exóticas y desconocidas. Acodados en la barra copa en mano pasaban más desapercibidos, pero se les notaba tensos, incómodos en un ambiente que ya no era el suyo. Escandalizados además por los precios de las consumiciones, fue Romano Santacruz el que tomó la iniciativa y propuso que se fueran todos a rematar la noche a su taberna. Allí estaremos más cómodos —dijo— escucharemos la música que nos dé la gana y a la primera ronda invito yo. Tico Tachuelas, que ni había pagado una copa en su vida ni se esperaba que lo hiciera, al oír la palabra «invitación» se apuntó entusiasta a la propuesta.

Así pues, el grupo de amigos, liderado por el bodeguero y por el vendedor de lotería, emprendieron el camino de regreso al centro del pueblo, seguidos por el ausente Gúmer que seguía sumido en sus pensamientos, y por el padre Querol que a todo decía amén. En la tasca todavía había buen ambiente a esas horas. El camarero saludó sonriente a Romano —hola jefe, ¿qué servimos? — mientras les preparaba una mesa a la vera de una barrica en la que envejecía el amontillado. El cambio de escenario les vino bien, y a la segunda ronda el grupo ya se había animado. Hasta Gúmer participó en alguna conversación y amenazó con perpetrar una ranchera, señal de que había recuperado el buen humor y había aparcado sus problemas, aunque sólo fuera temporalmente.

A medida que el alcohol fluía, el Tachuelas se volvía más simpático y menos prudente, dueño de una locuacidad sin filtros que ya no controlaba y que lo conducía inexorablemente a decir alguna impertinencia o a contar lo que no debía. Fue él quien la nombró por vez primera en toda la noche. Ella había estado presente todo el tiempo, pero por extrañas normas de cortesía que tácitamente se habían impuesto entre todos, se consideró de mal gusto nombrar la soga en casa del ahorcado, y el que más había sufrido con su desaparición había sido Vilches. El primer comentario de Tico fue muy inocente, «cómo le hubiese gustado a Macarena haber estado hoy aquí con nosotros» —dijo—. Y algo tan aparentemente inocuo fue suficiente para desencadenar la tormenta.

Tal como ocurre cuando se forma un huracán primero vino una calma extraña, un silencio absoluto, un silencio tenso que presagiaba tormenta, y tormenta de las buenas, de las que vienen con rayos y truenos y abundante aparato eléctrico. El segundo comentario fue ya la espoleta que activó la bomba:

—Lástima que ocurriera aquello, ¿verdad chicos?, si no hubiera sido por eso seguro que no habría desaparecido.

La frase escoció como un sarpullido.

—Cállate Tachuelas, ya estás borracho y no dices más que tonterías —dijo el viejo Valdivia.

—Cierra el pico, enano, deja de inventar estupideces —añadió el tabernero.

—Ave María Purísima —sentenció el cura viendo la que se venía encima.

El resto no dijo nada, tragaba saliva en silencio como quien tuviera que comerse un sapo, pero las miradas de todos ellos estaban puestas en Vilches. Tico Tachuelas trató de enmendar su error:

—A ver, yo no quería decir...

—Cállate —le cortó en seco Vilches—. ¿Quién de vosotros me va a contar de una puta vez lo que lleváis cincuenta años ocultándome?

Silencio nuevamente. Cabezas gachas, nadie se atreve a mirarse a los ojos.

—Os he hecho una pregunta —dijo Vilches con voz serena.

Nada. Silencio. Entonces estalló el primer trueno. Vilches dio un puñetazo encima de la mesa que tiró la botella al suelo e hizo que los vasos levitaran durante un instante eterno.

—Hablad, hijos de la gran puta —gritó fuera de sí.

—Ave María Purísima —repitió el padre Querol santiguándose nuevamente— hijos míos, por favor, vamos a calmarnos.

—Yo no soy hijo tuyo y no me sale de los cojones calmarme —le retó Vilches con ojos enfebrecidos— O me cuentas lo que sabes o te callas, pero aquí sermones ni uno.

—Tranquilos, por favor, somos amigos, no hay por qué enfadarse. Lo pasado, pasado está —terció Jacinto tratando de poner un poco de paz.

Pero Vilches no le hizo caso, ni siquiera consintió en mirarle. Todos sus esfuerzos estaban puestos en Tachuelas, pues sabía que era el eslabón más débil y al que resultaba más fácil presionar. Quizás ahora, delante de todos, no se atrevería a hablar, fulminado como estaba por las miradas de todo el grupo, pero Vilches sabía que en cuanto pudiera sentarse con él a solas y engrasarle la lengua con un par de copas, el enano cegato cantaría como un jilguero y no se dejaría nada en el tintero.

—Lo preguntaré por última vez —habló de nuevo Vilches—. ¿Qué fue lo que le ocurrió a Macarena el día que desapareció? Decidlo ya, ¿quién de vosotros fue?

Otra vez el silencio, otra vez las cabezas gachas y las miradas al suelo, otra vez el *pater* santiguándose y musitando avemarías. Pero esta vez no sucedió nada. Vilches sabía que tenía que jugar las cartas con más tiento. Sus sospechas, las mismas que le obsesionaban desde hacía cincuenta años, la creencia de que algo que a él se le escapaba había sucedido y que nadie quería hacerle partícipe del secreto, las había confirmado con su torpeza y su imprudencia el bocazas de Tachuelas, que con el alcohol se volvía transparente.

Se levantó de la mesa, soltó un despectivo «vosotros lo habéis querido» que sonaba amenazante, y se fue. Todo el grupo pareció respirar aliviado, pero la paz duró poco, porque antes de llegar a la puerta, Vilches Galván dio la vuelta y se acercó a la mesa con paso firme y gesto decidido. No pronunció palabra alguna. Se metió una mano en el bolsillo. Sus viejos amigos se quedaron inmóviles. Todos temieron que en ese momento sacara una pistola. Pero lo que hizo, en cambio, fue sacar un billete arrugado que, con infinito desprecio, arrojó encima de la mesa. Después dio un portazo y desapareció.

Esa fue la última vez que todos los integrantes de la pandilla volvieron a juntarse. A partir de ese día las heridas habrían de ser ya mortales de necesidad.

33

El día en que Macarena desapareció, Jacinto García López, de diecisiete años de edad y vecino del pueblo, vivía una de sus habituales jornadas de absoluta soledad. La adolescencia no es una época sencilla en la vida de nadie, pero resulta mucho más difícil si uno tiene que convivir con una identidad sexual reprimida en un pequeño pueblo conservador de los de rogativa al santo y misa diaria. El problema de Jacinto no radicaba en que estuviera confuso o dubitativo, no se trataba de eso. Desde muy niño tuvo claro que la naturaleza no había hecho bien su trabajo, y que se había equivocado en la asignación de un cuerpo masculino a un espíritu de mujer. De mujer de bandera, además —añadió él—. Aceptar con valentía su condición le había pasado al cobro una factura muy alta, tan exacerbada que habría de estar pagándola de por vida.

Aun así, no le tembló la mano a la hora de aceptar sin complejos todas las letras y pagarés que la sociedad le pasó a la firma. Una operación para cambiarse de sexo resultaba inviable. Para ello tendría que buscar una clínica privada, probablemente fuera del país, y Jacinto carecía de los recursos para hacer frente a semejante gasto. Lo que sí podía hacer era vestirse de mujer, actuar como una mujer, que era, al fin y al cabo, lo que se sentía.

Ya por esa época empezó a fantasear con la idea de crear un personaje en el que transformarse a voluntad, una reina del *cabaret* llena de arte y glamur que pudiera vivir la vida que a él le había negado el destino. Con el tiempo fue limando las aristas de ese personaje, fue moldeándolo a su imagen y semejanza. Y como había pasado tantos años siendo despreciado y humillado por la sociedad, y siempre había reaccionado sin miedo ni complejos, aceptando su condición de oveja descarriada y perdida, no tardó en gestar a esa diva arrabalera, viciosa y lasciva a la que bautizó como *la Perdularia*. Con el paso del tiempo el personaje fue adquiriendo la pátina canalla de desinhibición y golfería que, con el paso de los años, lo convertía en un lamentable juguete roto.

En aquel verano de su juventud, mientras sus amigos jugaban irresponsablemente a ser adultos, dedicando sus días a dorarse al sol por fuera, hidratarse de vinos por dentro, bailar las canciones de moda y seducir a chicas o muchachos, dependiendo de la condición y gustos de cada cual, él consumía su tiempo en la soledad de su cuarto, probándose la ropa de mujer que le robaba a su hermana del armario y que —así lo afirmaba a quien le quisiera preguntar— le quedaba a él infinitamente mejor que a ella.

El día en que ocurrieron los hechos no fue una excepción. Se pasó el día en su habitación, escondido de unos padres que no terminaban de aceptar la realidad de tener un hijo maricón, según palabras textuales de su progenitor. En la escuela había sufrido el escarnio al que la crueldad infantil somete al diferente, al que se le niega integrarse en el grupo. Sólo consiguió trabar amistad con una chica, Remedios, que siempre le otorgó su simpatía y su protección. Gracias a ella fue conociendo a otra gente que, poco a poco, lo fue aceptando tal como era. Se trataba de los amigos de Remedios y Macarena, un grupo de chavales entre los que estaban Valdivia el pescador, Vilches, el chico de la capital, Pepe Querol o Gúmer el de los ajos azules del que se había quedado prendado en cuanto lo vio por primera vez. Todos ellos, con mayor o menor reticencia, le fueron abriendo las puertas de su amistad y así, al cabo de unos pocos meses, fue reconocido como miembro de pleno derecho de la pandilla. Sin embargo, a pesar de ser parte del grupo, no disfrutaba con los mismos pasatiempos en que se empleaban sus amigos. Aborrecía jugar al fútbol, tomar el sol que le agrietaba y envejecía la piel, o el tacto rugoso de la arena. Tampoco le gustaba acudir a las discotecas ni a los bares de moda en que le miraban como el bicho raro que seguramente era, ni beber en exceso y, aunque decía que el champán siempre fue su perdición, lo cierto era que nunca llegó a probarlo y que terminó aficionándose al anisete por no poder permitirse mayores lujos. Lo que verdaderamente disfrutaba era pasar el tiempo con las chicas, hablando de sus cosas, entre las que nunca faltaba como tema de conversación el simplista mundo de los hombres, seres a todas luces dotados de un mecanismo mental de menor complejidad que el de las mujeres.

A pesar de tener nuevos amigos, Jacinto García López, a punto de ser conocido como *la Perdularia*, seguía pasando largas horas en el recogimiento y la paz de su refugio y santuario, el dormitorio en el que vivía en la casa de sus padres. Allí escuchaba la música que le hacía soñar, coplas, boleros y rancheras que conseguían transportarlo a un territorio mágico lleno de colores, alejado del grisáceo tono que dominaba su vida. Interpretaba las canciones tomando un bolígrafo como micrófono, ensayando pasos de baile y desplantes de folclórica atormentada por un amor imposible que, verso a verso, le rompía el corazón. Al principio sus padres se preocuparon al convivir con las largas ausencias de su hijo, que podía encerrarse horas en su cuarto sin salir ni para cenar, pero con el tiempo se fueron resignando a esa vida de exiliado interior que había elegido el chico y que tantos quebraderos de cabeza les estaba causando, y al que a esas alturas habían dado ya por imposible, un caso perdido, irrecuperable.

Fue en su querido santuario donde se pasó el día en que todo ocurrió. Sólo al borde de la madrugada, pasada ya ampliamente la media noche, salió para atender la desesperada llamada de teléfono de la madre de Macarena que, a esas horas, y con ese pálpito sobrenatural que sólo tienen las madres y que las unen de por vida a sus hijos, anticipaba el horror de lo que estaba por venir. El padre de la chica, en cambio, era mucho más prudente, y le pedía a su mujer que se tranquilizara, pues no le parecía tan alarmante que la niña no hubiera aparecido en todo el día a pesar de que había prometido ir a cenar. Estará con sus amigos y se habrá olvidado, decía el padre, ya verás cómo dentro de un rato aparece. Pero la madre, no sin ciertas pinceladas de justificada histeria, se había puesto en contacto con todos los amigos y conocidos de su hija y nadie era capaz de darle una mínima indicación de dónde podría estar.

Jacinto la atendió al teléfono con cortesía y complicidad, impactado por el dolor de madre, sintiéndose empática, plañidera, y le prometió que la llamaría si se enteraba de algo. Pero nunca llamó. Tras la conversación regresó a su cuarto y siguió fantaseando con su mundo de artista, sus sueños de vedete, sin asumir aún que lo que el destino le tenía preparado era cazalla y no el champán que tanto ansiaba, pues su carrera de diva no iba a llevarla más allá de convertirla en una cabaretera de burdel de carretera. Ahí se acabarían las candilejas y las luces de neón.

Corroboró la versión ya generalizada de que la desaparecida era un ser adorable, mitad ángel, mitad princesa, y tampoco encontró razón alguna por la que quisiera huir, y desde luego nadie que la conociera podía ni remotamente pensar en hacerle daño, eso resultaba del todo inconcebible. Así pues, ningún dato nuevo pudo aportar a lo que ya se sabía, que era básicamente nada. El caso seguía estancado en un manglar de preguntas sin respuestas.

Esto fue, en líneas generales, lo que declaró Jacinto García López, al que pronto se le conocería como *la Perdularia*, de diecisiete años y vecino de la localidad, durante las investigaciones llevadas a cabo por la policía tras la desaparición de Macarena Albanta.

Y, sin embargo, nada de lo que había dicho era cierto.

34

La guerra trajo los bombardeos, los bombardeos trajeron la destrucción, la destrucción trajo el hambre. El hambre trajo la miseria, y la miseria trajo el dolor. Pero hasta en el más inmundo lodazal puede nacer una flor, y en medio de aquel aquelarre de fuego y sangre, de sufrimiento y muerte, surgió una hermosa historia de amor.

Noah y Adolf pasaron de coser botones a desabrocharlos, de cederse el paso a chocarse los cuerpos, de tímidas sonrisas a besos apasionados. El mundo se había hecho para ellos, todo cuanto existía se había creado para ponerlo a su servicio, para que sirviera de guarnición a su bella historia de pasión. Una tarde, abrazados en la penumbra de un búnker mientras afuera caían las bombas que lanzaba la aviación aliada, juraron no separarse jamás. Habían nacido para estar el uno junto al otro, sus vidas sólo tenían sentido si las vivían conjuntamente, porque ya ni ellos mismos sabían dónde terminaba una y dónde comenzaba la otra. Pero las circunstancias no remaban precisamente a su favor y la sociedad, ahogada en una marmita de aniquilación y odio, no se lo iba a poner fácil, como si el guionista de la vida fuera consciente de que las más bellas historias de amor requieren para su desarrollo de un entorno de heroicidad y sufrimiento.

No tardaron en aparecer las pintadas en la puerta de los negocios regentados por judíos, y entre ellos los pertenecientes a la familia de Noah. Estrellas de David como dedos acusadores que delataban su terrible delito de ser judíos. Pronto la ciudad se llenó de cruces gamadas, marchas militares y exaltación patriótica, de una patria excluyente en la que no cabían todos, en la que sólo había sitio para los arios de probada ascendencia. Otra vez la pureza de sangre, como en los tiempos más oscuros de la Santa Inquisición. Nada nuevo bajo el sol.

Adolf seguía acudiendo cada mañana a las oficinas del Tercer Reich. Sobre su mesa de trabajo encontraba albaranes en los que se reflejaban los alimentos y materiales que había que enviar al frente, donde las tropas seguían su loca estrategia de expansión internacional, anexionando nuevos países y territorios y arrasando aquellas ciudades que se resistían a su dominio. En los mapas que tenía desplegados ante sí cada vez había más banderitas de colores que señalaban una nueva conquista, un paso más en el megalómano proyecto de someter al continente entero bajo su yugo. Adolf aborrecía lo que estaba sucediendo, pero los tiempos que le había tocado vivir eran así de terribles y fallarle a la patria precisamente en esos momentos implicaba una traición imperdonable.

Esa esquizofrenia en la que vivía no duró demasiado. Un hecho terrible vino a decantar hacia un lado la balanza, y Adolf ya no tuvo duda de cuál era su lugar y a quién debía lealtad eterna. Una mañana, Noah tuvo la osadía de presentarse en las oficinas del alto mando en busca de su enamorado. Cuando llegó ante él ya estaba bañada en lágrimas. Él la abrazó, ante la mirada desconfiada de sus compañeros, que se habían fijado en la chica más de lo socialmente razonable. Entonces la tomó del brazo y la sacó de allí. Ven, vayamos a un sitio más discreto —le dijo—. La abrazó con ternura, tratando de sofocar el llanto interminable, y aunque entre sus brazos Noah se sentía protegida, no había forma de detener su desconsuelo. Cuéntame qué ha pasado —le susurró mirándola a los ojos— y entonces supo que las noticias que corrían por la oficina desde hacía unas horas no eran rumores maledicentes y sin fundamento, sino la terrible realidad: se había puesto en marcha una operación masiva de deportación de los judíos.

A los padres de Noah los habían ido a buscar a la tienda familiar. Se los había llevado un retén de la policía militar sin hacerles ninguna pregunta. Llevaban una orden escrita en un papel, un papel que era una condena firmada por algún malnacido con galones. Junto a ellos se llevaron también a los empleados más viejos, los que compartían sus tradiciones y sus oraciones en la sinagoga. Noah llevaba todo el día buscándolos por la ciudad. Se decía que los tenían retenidos en grandes barracones a las afueras, a la espera de cargarlos en trenes como si fueran ganado. El destino de los trenes era incierto, todo eran conjeturas, y nadie se atrevía a afirmar nada con rotundidad. Se hablaba de unos grandes campamentos en los que encarcelaban a los detenidos como si fueran criminales, lugares atroces que obedecían a nombres tan siniestros como Treblinka, Matthausen o Dachau. Allí separaban a los hombres de las mujeres, separaban a los niños de sus madres, rompían las familias sin importarles sus sentimientos, porque para ellos no eran más que animales, bestias despreciables, sin derechos ni libertades.

Adolf trató de calmarla, no podían creer que sus compañeros cometieran semejantes atrocidades. Intentó conseguir información, pero ni siquiera para alguien con uniforme resultaba fácil obtener datos fiables. Todo lo que pudo averiguar fue que había comenzado una campaña perfectamente planificada por sus superiores contra los judíos, pero lo que sucedía a partir de ahí era para él una incógnita.

Noah estaba en peligro. Lo primero era protegerla, ponerla a salvo, y después buscar a sus padres para rescatarlos de un futuro muy incierto. Le pidió que regresara a casa, pero no a la de ella, donde no estaría segura, sino a su apartamento donde nadie habría de ir a buscarla. Allí debía esperarle hasta que él fuese a recogerla. Entre tanto, trataría de averiguar dónde se encontraban retenidos sus padres para intentar liberarlos. Para conseguirlo pensaba utilizar todas sus influencias, aunque en las hombreras de su uniforme no había las suficientes estrellas como para imponer su criterio. De todos modos, confiaba en su suerte y, en último caso, rompería las reglas y los sacaría de donde estuvieran, lo importante era ponerlos a salvo y reunir de nuevo a la familia de la que él ya casi formaba parte. Pero para lograr ese objetivo necesitaba que Noah se escondiera y se cuidara de ser capturada. Había tenido mucha suerte de no estar en la tienda cuando se llevaron a sus padres, pero no convenía tentar demasiado al destino.

Al principio Noah obedeció a su novio y fue directamente al apartamento de Adolf, pero en cuanto se vio allí encerrada durante más de media hora sin hacer nada, no pudo aguantar más, dejó una nota que decía «volveré enseguida, amor. Te quiero», y se lanzó a las calles en busca de sus padres. Las noticias que iba recogiendo Adolf no eran tranquilizadoras, y para el final de la tarde se confirmó el peor de los presagios: los padres de Noah viajaban ya a esas horas en un atestado tren camino de Polonia, donde les aguardaba la muerte en el campo de concentración de Auschwitz. El joven Von Schulle regresó a casa con una pena infinita en el alma. Trataba de pensar en alguna solución, quizás incluso en escribirle al mismísimo Führer para que intercediera por sus futuros suegros. Afortunadamente, no lo hizo, porque nada hubiera logrado y además posiblemente eso le permitió salvar su propia vida, que Hitler no estaba para cartas de amor y de clemencia.

No le dio tiempo a reflexionar mucho más, porque en cuanto llegó a su apartamento y leyó la nota de Noah empezó a ponerse en lo peor. Sus temores no tardaron en hacerse realidad. Ya era noche cerrada y la chica seguía sin regresar. Hacía ya horas que se había activado el toque de queda, y si ella no había vuelto era señal de que nada bueno le había sucedido. Desafiando las reglas, amparado en su uniforme militar, se lanzó a las calles a buscarla. Se encontró con un par de controles, pero al ver que se trataba de un oficial ninguno se atrevió a decirle nada, aunque carecía de salvoconducto y no estaba cumpliendo ninguna orden ni ninguna misión oficial. Se pasó la noche fuera, visitando las comisarías, los hospitales, las cárceles... pero no había rastro de Noah. Ya estaba casi amaneciendo cuando, exhausto, regresó a casa. Trató de descansar un rato, se dio un baño para limpiar tanta suciedad, se enfundó de nuevo el uniforme y acudió, como cada mañana, a la oficina.

No prestó ninguna atención al trabajo pendiente, le importaban ya muy poco los suministros y abastecimientos de las tropas en el frente. Su mente estaba concentrada en obtener alguna noticia de su amada, saber qué le había pasado, dónde se encontraba y regresar a casa con ella. Todo lo demás, Dios, patria y bandera, no le importaba nada. Ninguno de esos grandiosos conceptos podía competir con el amor.

Tres días con sus noches permaneció Adolf Von Schulle sin noticias de Noah, tres días con sus noches de sufrimiento e incertidumbre, llorando de impotencia cada vez que las sirenas alertaban de la inminencia del toque de queda e imaginaba que su chica se encontraba a la intemperie, sin el resguardo de un techo o un hogar. Pero al cuarto día Noah regresó de entre las tinieblas en las que había pasado las largas horas desde que un control militar la detuvo la misma tarde en que se lanzó a las calles en busca de sus padres. A partir de ahí todo había sido una pesadilla, una oscura travesía que la había llevado de mazmorra en mazmorra. Cuando se siembra en abundancia termina por recogerse algún fruto, y así Adolf pudo saber, gracias a un amigo que trabajaba en la oficina de deportados al que había pedido ayuda, que una chica que obedecía al nombre y la descripción de su novia había sido enviada a una prisión a las afueras de la capital.

El joven Von Schulle dejó a medias lo que estaba haciendo y fue en su busca. De un cajón de su escritorio tomó su arma reglamentaria, una *Luger* del calibre nueve *parabellum* que jamás había usado, pero que esta vez no dudaría en vaciarle el cargador a quien se interpusiera entre Noah y él. No le resultó fácil encontrar el lugar. Se trataba de una escuela que hacía las veces de cárcel, como la perfecta metáfora de la guerra, capaz de transformar un centro de enseñanza y educación en una gran cámara de torturas. Las patrullas hacían casi imposible moverse por la ciudad, y abandonarla sin el pertinente salvoconducto era sencillamente imposible. Esta vez ni el uniforme nazi fue garantía suficiente para moverse con libertad, y Adolf tuvo que jugársela en un par de ocasiones. Protegido por la insensatez que otorga la desesperación, logró despistar a cuantas patrullas y vigilantes le salieron al paso y alcanzar la vieja escuela transformada en prisión.

Lo que allí vio lo fundió en un dolor insoportable. Los detenidos estaban hacinados, sucios y malolientes, sin posibilidad de asearse o de ir al baño a hacer sus necesidades, hambrientos, harapientos, los que llevaban más tiempo encerrados. Rostros asustados, aterrados por el miedo a unos carceleros crueles. Rostros amoratados como consecuencia de los golpes asestados por unos soldados salvajes. Y en una esquina, temblorosa sobre un suelo sucio y húmedo de orines, abrazada a sus rodillas con la sangre coagulada en la nariz y los labios, estaba Noah, indefensa, a la deriva, desolada. Apenas tuvo tiempo de compadecerse. Justo cuando cruzaba el enorme salón que en otro tiempo había sido un aula, mientras se peleaba con los guardianes haciendo valer sus galones de oficial, empezó a notar el humo. Un par de segundos después ya estaba tosiendo, con los ojos llorosos. Al minuto le costaba respirar. Después llegaron los primeros destellos, y tras ellos las llamas. En un visto y no visto, toda la estancia se convirtió en una gigantesca hoguera, una caldera incandescente en la que los gritos y las carreras sembraban el caos. Al fondo, con una antorcha en la mano, el último de los guardianes se afanaba en encender cualquier objeto susceptible de arder, mientras todos los demás soldados cerraban puertas y ventanas desde fuera para que nadie pudiera escapar.

Grandes tablones de madera atascaban las salidas, convirtiendo la vieja escuela en un rudimentario horno crematorio que anticipaba a los que tan utilizados serían en adelante, aunque con la sofisticación y la tecnología que a este le faltaba. Pronto los prisioneros no fueron más que antorchas humanas que se movían desesperadamente, tratando de buscar una salida que no encontraban, por la simple razón de que no existía. Y allí, en la misma esquina donde languidecía, tras una barrera de fuego, se encontraba la aterrada mirada de Noah.

III

VÍSPERAS

35

El pueblo dormía la siesta con la indolencia que reparten las tardes de verano, en las que el sol vigila las calles para que nadie se aventure en ellas bajo pena de recibir un merecido golpe de calor. La gente parecía vivir una resaca perpetua de la que sólo despertaba cuando se empezaba a poner el sol, avanzada la tarde. Los únicos insensatos que osaban permanecer a la intemperie en esas horas de calor extremo eran los turistas que chamuscaban sus pieles en la parrilla de arena de las playas, como San Lorenzos en bañador, sometidos por voluntad propia a un tormento que, insólitamente, parecía gustarles.

El bodeguero Romano Santacruz, bordeando ya los setenta, se había ganado el derecho de alargar la molicie. Raro era el día que acudía a la taberna antes de las siete de la tarde, y cuando lo hacía era por compartir unas rondas con los amigos, pues el negocio estaba en buenas manos en la custodia de un par de camareros que se iban turnando y que eran ya como de la familia. Ese día, sin embargo, tuvo que interrumpir su siesta a media tarde, cuando apenas llevaba un rato tumbado en el sofá rumiando el guiso de papas con cazón que acababa de embutirse.

Todo empezó con una espita bloqueada, una barrica que debía estar llena de manzanilla y de la que, sorprendentemente, al abrir el grifo, no salía nada. El camarero le dio unos golpes tratando de que fluyera el vino, pero de allí seguía sin salir más que un hilillo del líquido ambarino, apenas unas gotas, cuando lo que debía manar era un buen chorro. Lo primero que pensó fue que el conducto se había atascado debido a la suciedad acumulada, restos de los hollejos o pequeños trozos de madera desprendidos. O lo más probable fuera sencillamente que el mecanismo se hubiera estropeado por el desgaste causado por el uso, pues esa barrica era de las antiguas, de las que no se habían cambiado en años. Resignado al ver que no había manera de desatascarla, fue hasta el almacén y buscó una escalera. La apoyó contra la barrica, se subió sobre ella e intentó abrir la tapa de madera. No fue necesario. La tapa no estaba colocada en su sitio, dejando al descubierto el líquido que prácticamente rebosaba los límites del recipiente, como si hubiese aumentado su volumen hasta desbordarse entre los listones de madera. El camarero tomó la venencia y la introdujo en la barrica. La vara de escanciar chocó con algo duro, un objeto sólido y aparentemente grande que obstruía la espita por la que debía salir el vino. Se remangó y metió el brazo en la bota en busca del objeto. Tocó algo que por su forma y su tacto hubiera jurado que era un zapato. ¿Qué demonios hace aquí un zapato —pensó— quién lo habrá tirado dentro del tonel? Lo más sorprendente, con todo, no era eso, sino que en el interior del zapato iba el pie, y a continuación el resto del cuerpo, un cuerpo no demasiado grande, pues no había excesivo espacio en el interior del barril para acogerlo. Estaba volcado cabeza abajo, como si se hubiese zambullido en la barrica, creyendo que era el mismo mar, un mar de vino, un océano de manzanilla conservada a la fresca en el útero de la tinaja. No tardó en localizar el otro tobillo, y entonces tiró con fuerza del cuerpo. Tuvo que hacerlo en tres tiempos, a riesgo de caerse de la escalera y partirse la crisma, pero finalmente consiguió sacarlo completamente de su líquida sepultura.

El cadáver estaba hinchado, amoratado por la maceración que había sufrido durante las horas de náufrago, ahogado en una botella en la que el mensaje era él mismo. O quizás fuera todo menos poético y la hinchazón se debiera tan sólo a la asfixia. El caso es que así, calado y sin las gafas, resultaba difícil de reconocer, por mucho que el cuerpo fuera claramente pequeño y algo deforme. Pero la ironía del destino quiso que la prueba que atestiguaba de quién se trataba fuera aún más menuda, más simple y prosaica: flotando sobre el líquido, totalmente a la deriva, había una serie completa de un número de lotería que ya nunca repartiría premio.

Apenas dos horas después del macabro hallazgo, y previo consentimiento del forense, el juez de guardia ordenaba el levantamiento del cadáver de Escolástico Ramírez, más conocido como Tico Tachuelas.

La autopsia realizada a la mañana siguiente en el anatómico forense de la capital reveló que la muerte se había producido por asfixia causada por ahogamiento. Los pulmones del finado estaban inundados de líquido, así como el estómago y otros órganos vitales que nadaban en alcohol, como si estuvieran ya anticipando un futuro encerrados en frascos de formol. No había golpes, ni arañazos, ni cortes, ni señal alguna de violencia. Lo único indiscutible era que el muerto estaba tan bañado en vino por fuera como por dentro, con un desmesurado nivel etílico en sangre. Sin embargo, y por increíble que pudiera resultar a la vista de su trayectoria, sus órganos vitales se encontraban en un estado estupendo, un corazón fuerte como un roble al que aún le quedaban muchas horas de rodaje, y un hígado sorprendentemente en buen estado que desafiaba la lógica de la ciencia médica.

La hipótesis más probable, por tanto, era que, al bueno de Tico, borrachín impenitente, se le había ido de las manos la fiesta y se había caído de cabeza en la cuba, del mismo modo en que, en los cómics de *Astérix*, Obélix lo había hecho en la marmita de la poción mágica. Un final cruel, pero coherente, para quien se pasó la vida macerado en aguardiente, un pobre infeliz que ya nunca habría de vender el gordo ni cantar otra copla o acompañar a las palmas el compás.

Comoquiera que nadie reclamó el cadáver y que, en plena campaña estival, a las autoridades competentes no les interesaba ningún escándalo, la policía declinó abrir una investigación y se dictaminó la defunción por accidente de Tico Tachuelas que, si a nadie le había interesado en vida, no iba a hacerlo ya después de muerto. Sus amigos de la pandilla, en un último gesto de solidaridad, decidieron hacerse cargo del cuerpo y sufragar a escote los elevados gastos del entierro y sepultura, pues cuesta lo mismo un nicho para un hombre pequeño que uno para uno esbelto. Hasta Vilches participó en la colecta sin dudarlo, en recuerdo de los viejos tiempos y olvidando rencillas recientes.

Su viejo amigo, el padre Querol, ofició el funeral por el eterno descanso de su amigo. Se celebró una soleada mañana de agosto, apenas tres días después de encontrarse su menudo cuerpo buceando en manzanilla. Durante su homilía el cura volvió a soltar toda la ristra de tópicos consoladores que la iglesia ha ido patentando y perfeccionando a lo largo de los siglos, que si la muerte no es el final del camino, que si la vida eterna por aquí y la gracia de la resurrección por allá, que si polvo eres y en polvo te convertirás y otra colección de frases hechas similares que, además de no estar soportadas por evidencia alguna, eran contradictorias entre sí, y es que ¿de qué nos sirve resucitar si no somos más que polvo, acaso para que nos pasen el plumero?, bromeaba Vilches, al que siempre le había resultado sorprendente la expresión «descanso eterno», como si vivir fuera agotador y tuviera que llegar la muerte a poner un poco de orden.

A continuación, se leyeron unos textos apropiados para la ocasión, se realizó una vez más el ritual antropófago de comerse simbólicamente el cuerpo de Cristo y, tras un minuto de recogimiento, la bendición de Dios todopoderoso, Padre, Hijo y Espíritu Santo descendió sobre los presentes. Ya podían ir en paz a tomarse el aperitivo.

Hasta las inocentes preguntas de un niño habrían bastado para reseñar las contradicciones y los interrogantes sin respuesta del informe policial que daba cuenta del hallazgo del cadáver. Cuestiones tan obvias como qué hacía Tico en el almacén de vinos cuando ya estaba cerrado al público, cómo se había encaramado a las alturas de la enorme barrica, por qué esta no tenía la tapa puesta, o cómo era posible caerse de cabeza en el odre cuando ni de puntillas conseguía atisbar el fondo, quedaron sin respuesta sepultadas para siempre en el desinterés que ocasionaba una situación desagradable. Quizás lo más sorprendente fuese el unánime acuerdo tácito por el que nadie osó ni tan siquiera plantear una pregunta, expresar una duda, ni mucho menos reclamar el esclarecimiento de los hechos hasta llegar a la verdad y hacer, en su caso, justicia. Una palabra esta demasiado grande para aplicar a alguien que en vida había sido tan poca cosa. El pueblo se quedó sin bufón y el bufón se quedó sin vida, tan simple como eso. Y no había que darle más vueltas.

El carrusel, por su parte, siguió girando. Todos los números volvieron a entrar en el bombo y alguien, en algún lugar, ganó el premio de la lotería. Un boleto que habría vendido alguno de los miles de clones de Tico repartidos por todo el territorio nacional. La taberna volvió a abrir sus puertas tras permanecer precintada durante un par de días por orden judicial. La barrica en cuestión fue limpiada y el vino que contenía arrojado por el desagüe. Nunca salió tan caro invitar a Tico a una ronda —pensó el tabernero— esta vez se ha bebido la barrica completa. Romano Santacruz comenzó entonces su batalla con la aseguradora para que le resarciera de los daños y las pérdidas, pero los del seguro alegaban que en la póliza no se contemplaba el supuesto de ahogamiento de cliente, por menudo que fuera, así que no les iba a quedar más remedio que pleitear o acudir a un mediador. El motocarro de tres ruedas del cegato acabó sus días en el desguace, y las sobras que le daban para cenar cada día en el bar fueron ya a parar sin discusión al estómago de los perros. Remedios siguió tejiendo guantes y bufandas de lana que nadie se pondría jamás en un pueblo en el que un soplo de brisa era considerado frío polar. Gúmer pagó su deuda con el casino pirata y recuperó la farmacia sin que su mujer se enterara, aunque tanta alegría tuvo el efecto secundario de provocar sarpullidos en los oídos ajenos ante el impulso canoro del boticario que arrasó con todo el repertorio mexicano. Cómo consiguió pagar la abultada deuda es algo que Tico Tachuelas se llevó a la tumba, y que sólo encontró respuesta la noche de San Juan.

El viejo Valdivia siguió faenando mar adentro, abasteciendo de abadejos y sardinas las mesas de toda la comarca. *La Perdularia* continuó moviendo el culo y provocando desde el abismo de su vejez. El cura Querol seguía dando responsos remojados por agua bendita, y Vilches Galván, absorto en sus investigaciones, seguía buscando una respuesta que se le resistía y le abrasaba por dentro desde hacía ya cincuenta años.

No habrían de pasar muchos días más antes de que la encontrara.

36

El día en que Macarena desapareció, Remedios Mudela, de diecisiete años y vecina de la localidad, tenía una cita con Macarena Albanta, pero ese encuentro jamás se llegó a producir. En realidad, ambas amigas solían verse sin necesidad de citarse, pues pasaban tanto tiempo juntas que llegaba un momento en que ya no se sabía muy bien quién vivía en casa de quién. Aquel día no iba a ser una excepción, y menos en pleno verano, época en la que gustaban de bajar juntas a la playa a tomar el sol. Sin embargo, Macarena no se presentó en casa de Remedios a la hora en que habían acordado verse. Remedios no le dio la menor importancia y decidió ir sola a la playa, pues su amiga de sobra sabía dónde podría encontrarla. Pero tampoco apareció por allí, ni más tarde, en el almuerzo que solían compartir en casa de los padres de cualquiera de ellas, alternándose de una a otra con el único objetivo de no separarse ni un minuto.

Desde luego no resultaba habitual que dos amigas tan unidas dejaran de verse de repente, sin motivo aparente. Esa misma noche, cuando ya empezaban a encenderse las alarmas, le preguntaron a Remedios si habían discutido o si existía alguna razón por la que Macarena pudiera haberse enfadado. Pero la respuesta fue siempre la misma, nada especial había sucedido y ella era la primera sorprendida.

Durante toda la tarde estuvo esperando que apareciera. Quizás se había entretenido con algún chico, aunque resultaba extraño que no se lo hubiese contado a su amiga, ellas no tenían secretos y todo lo compartían. Además, Macarena no era una chica demasiado dada a echarse novios ocasionales ni a vivir aventuras de una noche. Era una joven muy formal y responsable, la chica ideal por la que suspiraría cualquier padre, según afirmaba desconsolado el suyo cuando ya lo inevitable parecía una realidad.

El único chico que lograba encender una llama de deseo en Macarena era uno de los muchachos de la pandilla, confirmó Remedios, un joven de ciudad que sólo venía al pueblo por vacaciones, donde sus padres tenían desde hacía años su residencia de verano. Allí se escapaban varias veces a lo largo del año. Tan pronto como podían hilvanar unos cuantos días de descanso, abandonaban el ruido y la contaminación de la capital y viajaban a la vera del mar a respirar vida. Por todo ello eran considerados ya casi como unos vecinos más, pues entre Navidades, veranos, Pascua y demás puentes del calendario laboral, se pasaban un buen puñado de semanas en el pueblo. El hijo, además, había sido aceptado de inmediato como socio fundador de la pandilla. Los chicos se conocían desde niños y, verano tras verano, habían construido una amistad sólida, esa que se forja en esos primeros años en los que todo está por descubrir y en los que se va moldeando la personalidad de cada cual. Este último comentario, que nada aportaba al testimonio de la joven, había sido introducido por el sargento de la policía local, que solía adornar sus informes con extravagancias de esa índole.

El chico se llamaba Vilches Galván, y cada vez que aparecía por el pueblito marinero era como si con él viajara el aire fresco.

Macarena solía decir que ese muchacho tímido de ciudad llevaba consigo una ventana abierta, y que con su sola presencia era capaz de ventilar la densa y asfixiante atmósfera de una vida sin mayores alicientes ni emociones. Vilches, por su parte, decía que Macarena tenía el don de apagar las penas, pues irradiaba tanta luz, tanta alegría y tanta energía, que a su lado no existían las tristezas ni los pesares.

La residencia de los Galván era un apartamento pequeño pero confortable situado cerca de la escuela. Tenía un balcón orientado a poniente desde el que se veían maravillosas puestas de sol. Estaba a un paso de la playa, y no era extraño que los chicos se pasaran un buen rato cada día en el portal, despidiéndose sin querer hacerlo —vete tú, no tú— con la seguridad además de saber que se volverían a ver después del almuerzo. Podría decirse que los chavales estaban enamorados, aunque en el universo de la pandilla, Remedios sostenía que no había espacio para noviazgos formales, todos eran amigos de todos, y aunque nada estaba prohibido, no estaba muy bien visto que los apartes fueran excesivamente largos, pues ello podría poner en riesgo la unidad del grupo como una piña de amigos inseparables. Por ello —continuaba la testigo— aunque era un secreto a voces que Vilches y Macarena se gustaban, nunca llegó a formalizarse su relación, por mucho que los lazos que los unían fueran prácticamente indestructibles.

Remedios Mudela, en su condición de confidente y mejor amiga de Macarena, era conocedora de la intensidad de los sentimientos de la joven, y aunque era cómplice y hasta alcahueta de esa historia de amor, nunca reveló detalles que pudieran afectar a la intimidad de su amiga. Ni siquiera ahora, con la impactante noticia aún no asimilada de la desaparición, quiso ofrecer más información de la estrictamente necesaria, y lo más que llegó a afirmar fue que Macarena sentía un afecto especial por Vilches quien, además, era un muchacho guapo, tímido y de buen corazón. Lo cierto es que ella bebía los vientos por otro de los integrantes de la pandilla, un rubio de ojos azules heredados de su madre francesa que se pasaba el día de fiesta en fiesta cantando corridos mexicanos. Macarena la animaba a que le diera carrete, porque el chico además parecía un buen partido, pues si el boticario en un pueblo pequeño es una institución, ser su hijo es ser el heredero de un pequeño imperio que, pastilla a pastilla, jarabe a jarabe, no iba a dejar de crecer.

Con la noche llegaron los nervios. Contribuyó notablemente a ello el ataque de histeria con el que la madre de Macarena contagió a todo el pueblo, buscando a su pequeña casa por casa como un alma en pena, mientras gritaba «ay, mi niña que se me la han *llevao*». Desgraciadamente, la negra premonición de la madre se cumplió en parte, y aunque nadie supo nunca qué fue exactamente lo que ocurrió, lo cierto es que la chica desapareció y jamás regresó para alumbrar con su luz la vida del pequeño pueblo de pescadores que consumía indolente los días al suave vaivén que marcaban las olas al romper contra el malecón.

Remedios aguantó con firmeza las primeras horas, pero no tardó mucho en quebrarse y ceder a la tensión, incapaz de encontrar consuelo ante la pérdida de su amiga, rota de pena y tristeza, haciendo pareja como plañidera con la madre de la desaparecida, cuyo semblante y gesto se asemejaban cada vez más al de una *mater* dolorosa salida de un cuadro de Murillo. No resultó fácil arrancarle las palabras, pues el llanto ahogaba la voz que respondía a las preguntas que le hacían los investigadores. Y así hubo que poner punto final a su testimonio.

Esto fue, en esencia, lo que declaró Remedios Mudela, de diecisiete años y vecina de la localidad, durante las investigaciones llevadas a cabo por la policía tras la desaparición de Macarena Albanta.

Y, sin embargo, nada de lo que había dicho era cierto.

37

Cumplida la tercera semana desde la llegada del inspector, todo estaba como al principio, sin que se hubiera producido avance alguno. Retamares no había conseguido hacer ningún progreso, y ello no era imputable ni a su método de trabajo ni a su dedicación. Simplemente, se debía a que todas las puertas a las que llamaba, una tras otra, se cerraban sin darle opción alguna de encajar una pieza nueva. Esa noche, mientras cenaba un bocadillo con una cerveza en una de las tabernas del puerto, pues las dietas que le pagaban no daban para muchas alegrías, se desahogó sincerándose con su ayudante.

—Si es que esto no hay por dónde cogerlo. No hay móvil, ni arma del crimen, ni huellas, ni testigos, joder, si es que por no haber no hay ni cadáver.

—Pero lo cierto es que la chica ha desaparecido.

—Sí —admitió el inspector— eso es innegable, la chica ha desaparecido.

—Al final van a tener razón los locos del pueblo que dicen que la han abducido los extraterrestres.

Retamares apuró un trago largo de cerveza, cerró los ojos, respiró hondo, y con una voz suave, casi susurrante, que daba bastante más miedo que un grito, dijo:

—Otra tontería como esa y te corto los huevos.

Las conversaciones que había mantenido con el círculo de amigos y conocidos de la desaparecida no habían aportado ningún dato relevante. Nadie había visto nada, nadie había oído nada, nadie podía imaginar nada. Sus testimonios, además, resultaban incontrovertibles, en unos casos por estar refrendados por coartadas innegables y en otros por la inexistencia de indicios que los desmintieran. Ni siquiera del interrogatorio a Remedios Mudela, la inseparable amiga de Macarena, el inspector Retamares había podido extraer conclusiones que dieran lugar al optimismo. Para Remedios resultaba inimaginable que su amiga se hubiera fugado en secreto, huyendo sin decirle nada a nadie, ni tan siquiera a ella misma, que era su mejor aliada y su paño de lágrimas. Definitivamente, eso era imposible, repetía la amiga, por lo que esa vía no iba a conducir a ningún resultado positivo, Macarena no podía haberse esfumado por voluntad propia.

Retamares, sin embargo, tenía la suficiente experiencia como para no creerse todo lo que le decían. El inspector había vivido en demasiadas ocasiones situaciones similares, en las que resultó que la víctima llevaba una doble vida. Al fin y al cabo, le decía Retamares a su ayudante, todas las personas somos algo lunáticas y tenemos una cara oculta.

Pero en este caso le pareció que las posibles lagunas en los relatos de los testigos eran más achacables al nerviosismo y al shock provocado por la desaparición de la chica que a la voluntad de ocultar acontecimientos. El inspector carecía además de los recursos para cotejar algunos datos que le habían dado, era agosto y el personal disponible era muy limitado. Con estos mimbres la hipótesis que cobraba más fuerza era la del elemento exterior, alguien ajeno al pueblo que hubiera venido para llevársela. Esa había sido desde el principio la vía favorita del sargento Gombo de la policía local, y a su defensa se aplicó con entusiasmo en cuanto vio empantanados a los expertos venidos desde la capital.

—Ya te lo dije el primer día que nos vimos, inspector, ese es el camino por el que hay que buscar, el del forastero misterioso. En este pueblo no hay nadie tan pervertido como para ir por ahí haciendo desaparecer niñas.

Al inspector Retamares le reventaba el ego el hecho de que un vulgar sargento chusquero al frente del cuartelillo de policía de un poblacho más pequeño que el barrio en el que él vivía en la gran ciudad se atreviera a marcarle el paso y anticiparle el trabajo que debía hacer, pero llegados a este punto tenía que reconocer que se trataba de una línea de investigación que tocaba ya abrir.

Entretanto, y mientras las pesquisas avanzaban con la celeridad de un caracol perezoso, los vecinos del pueblo se organizaron por su cuenta para realizar batidas por los alrededores en busca de alguna pista que permitiera dar con la chica. Retamares ordenó a Gombo que les prestara apoyo, más por tenerlo ocupado y alejado de él que por la creencia de que la búsqueda pudiera dar resultado alguno, y que, cuando todo estuviera preparado, le avisara para ponerse al mando del dispositivo. En cualquier caso, ese rastreo era algo que había que hacer, y cuanto antes se afrontara y se hiciera de la forma más profesional, más definitivos serían los resultados obtenidos, por mucho que su experiencia le indicara que tales exhibiciones pocas veces sirven de algo, si acaso para acallar la impotencia y dejar que la gente se sienta útil. Aun así, mandó reforzar el dispositivo con perros y medios técnicos más avanzados, que incluían un helicóptero y un escáner térmico para comprobar el fondo de los pozos o las fallas del terreno. Semejante despliegue conseguía, entre otras cosas, dar la impresión de que la policía se tomaba el asunto muy en serio y no estaba dispuesta a escatimar medios para resolver el caso, lo que aplacaba la inquietud de las masas y con ella tranquilizaba a otro personaje que siempre terminaba por aparecer en este tipo de casos como si se tratara de un actor secundario inexcusable y con el que se veía obligado a convivir, el elemento más dañino y perturbador en este tipo de casos: la prensa.

La prensa. Retamares aborrecía a la prensa, sobre todo a los periódicos locales, siempre ávidos de morbo y sangre que vender empaquetada y camuflada de noticia para saciar el apetito de morbo despreciable de sus ingenuos lectores que pensaban que todo lo que se publicaba en el periódico era verdad. El verano es época parca en noticias, en la que los diarios han de esforzarse para rellenar páginas. Nada, por tanto, más apetitoso y suculento para ellos que el testimonio de una madre destrozada y rota por el dolor, un juguete roto al que poder convertir en el centro de la compasión nacional. Con la desesperación que da el dolor infinito, la buena mujer no dudó en exhibir impúdicamente su corazón desgarrado y pasearlo por los estudios y las redacciones, rogando a quien pudiera escucharla que le devolvieran a su pequeña. Una actitud que provocaba lástima y pena, una ternura que entretenía al populacho mientras la policía seguía haciendo metódicamente su trabajo, un trabajo que, paradójicamente, y para desesperación de Retamares, no les estaba llevando a ningún lugar.

Unos años atrás, el inspector había tenido una experiencia lamentable con uno de estos reductos de poder caciquil. Un caso de asesinato, en una pequeña localidad de una región ultramontana, en la que el amo y señor del lugar, dueño del diario local, aprovechó su poder para orquestar una campaña de acusaciones sin fundamento contra un hombre inocente al que se empeñaron en adjudicarle el cadáver en contra de las investigaciones de Retamares, que de poco sirvieron ante el fervor del populacho justiciero y los políticos cobardes que ofrecieron la cabeza del cordero pascual para redimir todos los pecados del lugar. El acusado, a consecuencia de la presión mediática que desembocó en persecución judicial, había perdido su empleo, su familia, sus amistades y hasta su dignidad —¿quién quiere ser amigo de un asesino? — y el día antes del juicio en el que le iban a condenar a cadena perpetua, porque estaba cantado y anunciado que esa iba a ser la sentencia, decidió hacer uso por última vez de su libertad y se quitó la vida. Orificio de entrada por el occipital derecho, bala del calibre veintidós alojada en el cerebro y disparada a quemarropa, según mostraban las abrasiones y restos de pólvora presentes en la sien. Un suicidio en toda regla.

—

Los ladridos de los perros ganaron la partida al canto de los gallos. Aún no había amanecido y media docena de cuadrillas formadas por vecinos del pueblo, todos ellos armados con termos de café y bastones para caminar por el monte, esperaban la llegada del inspector Retamares para repartir el terreno y dar inicio a la batida de búsqueda. La madre de Macarena les había dado ropa de la chica para que los animales pudieran seguir su rastro. A los perros adiestrados que trajo la policía se sumaron un par de sabuesos que pertenecían a un vecino cazador, y tres jinetes con sus caballos que alquilaban a los turistas en verano para dar paseos por el campo. En el puesto de mando improvisado sobre el capó del todoterreno de la policía local, Retamares extendió un mapa de la zona, dividió el área de búsqueda en siete cuadrículas de varias hectáreas cada una, y asignó una a cada grupo de voluntarios. La última se la reservaba para el sargento Gombo y sus hombres. Él, por su parte, consideró más inteligente y más útil dedicar su tiempo a seguir investigando a los familiares y amigos de la desaparecida, convencido como estaba por su experiencia en casos similares de que en ese círculo cercano debía estar la clave que resolvería el caso, al igual que había sucedido con la mayor parte de ese tipo de asuntos que se le habían presentado a lo largo de su carrera.

Con las primeras luces del alba comenzó la batida, un ejército de vecinos caminando por el monte en abanico sin levantar la vista del suelo, pendientes de cualquier indicio que aportara alguna pista, una rama rota, un jirón de ropa, unas rodadas sospechosas. Todo podría ser susceptible de revelar algún dato que alumbrara la oscuridad en la que vivía sumido el pueblo desde que Macarena desapareció. Durante las primeras horas nada relevante ocurrió, más allá de que alguno echó de menos no haber llevado una cesta de mimbre para recoger piñones y bayas. Sólo un par de falsas alarmas motivadas por unos restos que terminaron por ser basura dejada en el bosque por algún excursionista insensato e incívico. Durante toda la jornada estuvieron rastreando los alrededores del pueblito hasta que la noche decidió bajar el telón y dar por finalizada la función.

Al día siguiente las batidas volvieron a echarse a los caminos, sólo que ahora incluso más numerosas, reforzadas por nuevos voluntarios, entre los que no faltaban los amigos de la chica y su propio padre. Hasta el cegato Tachuelas se sumó a la partida, ante la incredulidad de Retamares, que pensaba que con semejante tropa pocas batallas se podían ganar. Sin embargo, pasado el mediodía, justo antes de la hora del almuerzo, llegó al puesto de mando una información que consiguió captar la atención del inspector. Una de las cuadrillas de rastreo había encontrado a la salida de la localidad, justo en el camino que llevaba al castillo de Von Schulle, un extraño movimiento de tierras que indicaba que alguien había removido el suelo. Unas cuantas piedras de gran tamaño habían sido colocadas cuidadosamente para ocultar un agujero cavado en la tierra.

La noticia corrió como la pólvora. ¡Han encontrado una tumba, han encontrado una tumba!, gritaban los niños por las calles llevando la triste nueva a todos los rincones del pueblo. En el mercado ya no se hablaba de otra cosa, en las tabernas era el único tema de conversación y, a medida que pasaban los minutos, los ánimos se iban caldeando y la imaginación popular aportaba la nota de morbo y sadismo de la que, objetivamente, carecía la noticia, pues de momento el hallazgo consistía exclusivamente en un pedazo de tierra que alguien había removido. Para que la situación no se le fuera de las manos, Retamares decidió actuar con rapidez. Mandó acordonar la zona, dejando un perímetro lo suficientemente amplio como para evitar las miradas de los curiosos que no harían otra cosa que dificultar los trabajos e importunar a la policía con su presencia. Como tiburones al olor de la sangre, no tardaron en llegar los medios de comunicación, radios, periódicos y televisiones a la caza de la tragedia. Estaban dispuestos a retransmitir la excavación del terreno y la búsqueda del presentido cadáver, como si se tratara de un partido de fútbol, minuto y resultado de una operación macabra. En vista de la situación, Retamares ordenó montar unas carpas alrededor de la supuesta tumba, formando una gran mampara que permitiera a los forenses trabajar con cierta intimidad y sin ser molestados por las urgencias de una población que exigía culpables cuanto antes para poder ajusticiarlos.

La noticia llegó pasadas un par de horas desde que empezaron los trabajos y, nuevamente, se extendió de boca en boca por todo el pueblo a una velocidad vertiginosa: habían encontrado un cuerpo enterrado.

38

Han pasado varios meses desde que todo ocurrió. Un tiempo demasiado escaso, un océano de por medio y unos recuerdos que no se van, cincelados en la memoria como la marca indeleble de una pesadilla. Brasil es un lugar paradisiaco, un lugar acogedor en el que no le preguntan a uno por su pasado. Hasta allí ha llegado Adolf Von Schulle huyendo de sus propios compatriotas, asqueado al pensar en que hace apenas un puñado de semanas había colaborado con ellos en su fanática ambición de doblegar al mundo y aniquilar al diferente.

América fue la primera parada, pero su errante caminar no podía detenerse allí por mucho tiempo. Ahora era un proscrito para unos y otros, perseguido por los suyos que lo acusaban de alta traición a la patria y por el resto del mundo que lo querían prender por nazi. Y en medio de la tempestad, él, que no era más que un hombre enamorado, un chico de buen corazón que había perdido la inocencia de la forma más brutal imaginable. Su único consuelo era cuidar de su amada, un cerebro y un corazón intactos tras un cuerpo chamuscado y deforme, sin piel, que mostraba las llagas que le había dejado el breve paso por el infierno, apenas unos minutos que habrían de marcar toda una vida.

Noah apenas podía ver. Balbuceaba las palabras, incapaz de vocalizar. No podía caminar ni valerse por sí misma, pero del fondo de sus ojos salían lágrimas y sonrisas, esa era su forma de expresarse, el único modo con el que, de momento, podía relacionarse con el mundo.

La huida continuó por todo el continente. Paraguay les acogió pensando que eran nazis fugados, hasta que las informaciones empezaron a ser confusas y decidieron salir huyendo antes de que los descubrieran. Intentaron el asilo en los Estados Unidos, pero sobre ellos pendía la amenaza de un tribunal internacional que juzgaría a Adolf por colaborador con el genocidio que, finalmente, había sido masivo y empezaba a ser de dominio público.

La calma la encontraron en un pueblito marinero del sur de España, un lugar idílico de casitas encaladas sobre un arenal en el que venían a tenderse lánguidamente las olas de un mar azul con ribetes de espuma blanca. Allí no les hicieron demasiadas preguntas, Adolf no contó su historia y nadie le pidió que lo hiciera. El país de acogida estaba arrasado, cerrado por derribo tras una guerra brutal entre compatriotas de la que aún tardarían muchos años en recuperarse. Sus dólares y sus marcos alemanes le permitirían vivir con holgura al menos el tiempo suficiente hasta que la naturaleza hiciera su trabajo, llevándose a unos padres con los que seguía sin hablarse, y pudiera vender la casa familiar y liquidar el resto de las propiedades para disponer de un patrimonio que les permitiera vivir holgadamente los años que les quedaran de vida. Con la parte que le correspondía de la abultada herencia que sus padres habrían de dejarle, compró un viejo caserón destartalado que cumplía a la perfección con lo que andaba buscando, un lugar escondido, alejado de las miradas de la gente, en un enclave hermoso y privilegiado en el que poder pasar en paz el resto de sus días.

Transformó la casa de la colina en un santuario en honor a su diosa, Noah, a la que desde entonces dedicó todos sus cuidados. Simplemente, consagró su vida a ella.

Nadie en el pueblo vio nunca a Noah. En el interior de su particular mundo, entre las paredes del castillo, que no era más que un caserón, tenía todo lo que necesitaba para disfrutar de una vida digna. Pero cuando se miraba al espejo, lo que veía era un monstruo deforme, incapaz de hablar con una mínima fluidez, sin nariz ni orejas, las manos agarrotadas como garfios inútiles, y cuatro pelos incrustados en un cráneo quemado como el monte arrasado por un incendio. Y, sin embargo, tenía a un hombre entregado en cuerpo y alma a su cuidado, un hombre que además era guapo, fuerte y bello en su juventud, maduro, atractivo con los años e incluso un anciano interesante en la actualidad. Un hombre que la veneraba. El sueño de cualquier mujer era en ella una realidad que ni toda la fuerza destructora del fuego había conseguido destrozar.

Noah no quiso salir nunca más de casa. Tenía un jardín estupendo a su disposición que cuidaba con esmero junto al amor de su vida, y unas privilegiadas vistas al mar que le permitían imaginarse en la proa de un barco, el viento acariciándole el rostro con infinito tacto para no dañarla. La propiedad contaba también con un par de hectáreas de bosque por el que poder pasear y perderse entre senderos de grava y vegetación. Con los años Adolf había construido una piscina y un invernadero en el que plantaba tomates, cebollas, calabacines y verduras de todo tipo que los hacían prácticamente autosuficientes. Así sólo precisaba bajar al pueblo muy de vez en cuando para comprar pescado, medicinas o herramientas. Trataba de que esas escapadas tuvieran lugar los sábados, porque ese era el día en el que el pastelero preparaba su riquísima tarta de manzana, un strudel que le recordaba a los que tomaba en los felices días en que vivía en una ciudad en paz, antes de que la política lo estropeara todo y trajera los tambores de guerra. Ese era el pastel favorito de Noah, que siempre bromeaba recordando que la primera vez que se besaron lo hicieron un sábado, en el café del Sacher vienés, mientras se tomaban esa tarta. Por eso decía que sus besos sabían a manzana.

Desde aquel día Adolf, propietario de toda la ternura del mundo, le había llevado a su amada cada sábado un pastel de manzana. Ese día la mansión de los Von Schulle se convertía en el escenario de una fiesta, la de la celebración del amor, una fuerza tan poderosa que nada ni nadie conseguirá nunca doblegar.

39

En los momentos de conmoción las masas siempre necesitan un cabeza de turco al que culpar, y si no hay un turco a mano bien vale un alemán. El hallazgo de una tumba en las inmediaciones del caserón de Von Schulle pasó de ser un rumor maledicente a una realidad, que se extendió como el fuego que va siguiendo un reguero de pólvora, con una velocidad endiablada que lo arrasa todo a su paso.

Ese fue el momento más crítico. Los vecinos amagaron con tomar el castillo del alemán y linchar a su propietario. Perdidos e impotentes ante la falta de pistas y de resultados, la existencia de la tumba confirmaba la idea fraguada en las mentes más pervertidas que llevaban tiempo alertando de un atroz secuestro que tenía a la chica retenida —encadenada en las mazmorras, decían las mentes más calenturientas— en el interior de la mansión. Cerrada la noche y tras haber pasado buena parte de la tarde en la taberna cargándose de argumentos en forma de alcohol, los más irresponsables y violentos decidieron armarse y formar una partida para tomar el castillo y, ya que era tarde para liberar a la princesa, al menos matar al monstruo.

Prepararon antorchas y empuñaron cualquier objeto punzante que tuvieron a mano, hachas, cuchillos de pescadero para despiezar atunes, picos, palas, garfios para colgar jamones, e incluso un par de escopetas de caza y un fusil de asalto que alguien se había guardado desde la guerra por lo que pudiera pasar. Como la santa compaña salieron en procesión camino de la colina al grito de muerte al alemán, colguemos al nazi o garrote al asesino. Los ladridos amenazantes de los perros al olerse la tostada no hicieron más que avivar los ánimos y la sed de sangre del populacho cafre y justiciero.

La primera reacción de Adolf fue salir a recibirles y tratar de dialogar con ellos, hacerles ver que la suya no era la casa de los horrores, y que él era un hombre honrado que sólo quería vivir en paz. Pero en cuanto los vio acercarse por el sendero, con los ojos inyectados en sangre y la espuma saliéndose por las comisuras de los labios como una jauría hambrienta, entendió que poco se podía argumentar con semejante turba y que no quedaba otra que defenderse y vender caro el pellejo. Se aseguró de que todos los cerrojos de las puertas estuvieran echados y las contraventanas cerradas protegiendo los cristales. Soltó a los perros, que enrabietados se lanzaron contra las alambradas que protegían el recinto, dispuestos a morir y matar. De un cajón de la cómoda de su dormitorio tomó su vieja Luger reglamentaria que le había pertenecido como oficial del ejército alemán. No la había vuelto a usar desde que desertó y huyó de su país. En realidad, creía no haberla utilizado nunca, quizás durante los días robados para su formación militar, pero desde luego jamás la había usado contra nadie. Esa noche, sin embargo, estaba dispuesto a hacer una excepción y descargarle el cargador completo en la sesera a quien osara hacerle daño a su amada mujer. Su mayor temor era que la turba prendiera fuego a la casa, dejándoles atrapados en una ratonera de la que no habría escapatoria. Otra vez el fuego, otra vez la pesadilla de las llamas devorando lo que más amaba, otra vez la pira infernal que le torturaba sin piedad. Como buen estratega sabía que jamás podría vencer a los asaltantes, así que cargó dos balas en la pistola, abrió su mejor botella de vino y se abrazó a Noah. No dijo nada, pero los dos sabían que esas balas, llegado el momento, estaban destinadas a sí mismos. No permitiría que la historia volviera a repetirse.

Al rato comenzaron las embestidas contra la verja exterior. Los gritos y las amenazas se oían cada vez más próximos. Sólo era cuestión de tiempo que las alambradas cedieran. Más problemas iban a tener con el muro de piedra que rodeaba la casa, sólido e inexpugnable hasta para un ejército invasor, pero a fuerza de lanzar escalas y tender puentes era seguro que conseguirían superarlo.

Los milagros existen, pero para que ocurran alguien tiene que creer en ellos. En este caso este papel se lo reservó Noah, que estaba segura de que su hora aún no había llegado. De lo contrario, no hubiera tenido sentido el sufrimiento que habían soportado en los últimos años. Ese milagro llegó en forma de inspector de policía cabreado. Al enterarse de lo que tramaban algunos vecinos, Retamares se fue directamente a la comandancia del pueblo, se llevó con él a todos los hombres que había, cuatro en total, incluyendo al sargento Gombo, a su ayudante, y a él mismo, que nunca un ejército tan paupérrimo osó enfrentarse a enemigo tan numeroso, y se dirigió a la casa de los Von Schulle. Los uniformes y las sirenas de los vehículos hicieron efecto, y la autoridad se impuso sin demasiadas complicaciones. A ello contribuyó sin duda el mal genio de Retamares, que subiéndose pistola en mano encima del capó del coche patrulla, gritó: «al que pase de aquí le pego un tiro en los huevos». Y al imaginarse la tortilla que se podía formar, el populacho no se mostró tan envalentonado y altanero y se envainó la rabia.

El inspector no podía permitirse un linchamiento público bajo su tutela, en plena investigación y sin hacer avances reales en la resolución del caso. Pero ello no significaba que descartara por completo la implicación de Von Schulle, de hecho, en esos momentos era uno de sus principales sospechosos. Pero a fuerza de ser sincero, tenía que reconocer que las pesquisas realizadas hasta la fecha no le habían aportado indicación convincente alguna en esa dirección. Todo se basaba en su intuición, y con tan magros mimbres resultaba absurdo practicar detenciones. Si tenía alguna duda al respecto, el amago de motín popular con lapidación incluida vino a aclararle definitivamente las ideas. En esas condiciones, arrestar a Von Schulle era cavar su propia fosa profesional. Así que el injusto arrebato de odio contra el alemán terminó por resultar positivo y conseguir que le dejaran en paz. Por una vez se impuso el final feliz.

40

El primer amor es un terremoto emocional. Los cimientos de nuestras vidas que creíamos sólidos se tambalean como si fueran barquitos de papel en mitad de una galerna. Es la vida del revés, ansiedad que nos impide respirar en la distancia y taquicardia que dificulta esa misma respiración en la proximidad. Es la revolución de las hormonas, feroces *sans coulottes* a la toma de la Bastilla de nuestro raciocinio. Pero también es la explosión de felicidad en el primer beso, en el primer abrazo y en la exploración del territorio desconocido de los cuerpos. El de Macarena y Vilches fue un proceso tan natural que a nadie pareció sorprender. Todos en el pueblo lo vieron como el colofón lógico a una relación de amistad y atracción de dos chavales jóvenes y guapos, que se pasaban el día juntos. Macarena soñaba con viajar y conocer otros lugares y otras gentes, salir de su reducido y encantador mundo que, sin embargo, se le quedaba pequeño, para satisfacer tantos proyectos como albergaba su imaginación. Tenía muy claro que todos ellos pasaban por subir un primer escalón que consistía en viajar a la gran ciudad, trasladarse a la capital para, desde allí, dejar que los vientos de la vida la llevaran a otros lugares en los que vivir nuevas aventuras. Vilches era su vínculo con ese universo soñado, el eslabón de la cadena que habría de sacarla de la monotonía de un paraíso demasiado tranquilo para una joven tan inteligente y tan inquieta.

En el verano en que todo ocurrió, uno de los pasatiempos favoritos de la pareja consistía en tumbarse sobre la arena de la playa, a la caída del sol, mirar las nubes y los pájaros que trazaban dibujos sobre el lienzo azulado del cielo, e imaginar los sitios a los que viajarían juntos, lugares en los que vivirían aventuras como los personajes de los libros que tanto les gustaba leer, mosqueteros al servicio de Su Majestad, emisarios del Zar de todas las Rusias, capitanes intrépidos en busca de la isla del tesoro.

—¿Me ayudarás a salir de aquí? —le preguntaba Macarena apoyando la cabeza en su hombro.

—Haré más que eso, vendré a buscarte y nos iremos juntos, sólo necesito un poco de tiempo para planificarlo bien —respondía Vilches mientras la abrazaba con fuerza y le acariciaba el pelo.

Y entonces ambos dejaban que su imaginación volase libre, y jugaban a enumerar los países que visitarían juntos y los trabajos que harían para ganarse la vida, montaremos una escuela de buceo en los mares del sur, decía Vilches, o cultivaremos tomates y viñedos en la Toscana, replicaba Macarena. Es esas tardes del verano en que todo ocurrió fueron bailarines de tango en un boliche de Buenos Aires, domadores de elefantes en las selvas de Birmania, buquinistas de libros de viejo a orillas del Sena, actores en una comedia romántica en Hollywood, y hasta trapecistas del circo ruso. Todas esas vidas y muchas más vivieron en su imaginación, entre excursiones en bicicleta, baños en el mar y meriendas campestres con los amigos.

—Me asfixio, amor —confesaba Macarena cuando la invadía la tristeza— trato de ser cariñosa y responsable, obedezco a mis padres en todo lo que me mandan, ayudo en casa, saco buenas notas en el colegio... pero la realidad es que me asfixio. Aquí y ahora, a tu lado, soy feliz. Pero tú te irás, y llegará el invierno, y ya no habrá tanta vida en el pueblo. Nos quedaremos los de siempre, y volverá la rutina, y yo me iré marchitando poco a poco, dejando pasar un año tras otro hasta que mi padre, que es una mala bestia, se empeñe en casarme con alguno de los chavales del pueblo. No, ese no es el futuro que me hace feliz. Tienes que ayudarme, cariño, amor mío.

Vilches entonces apretaba los puños y se mordía los labios, frustrado por no poder llevarse a su chica con él, porque si algo tenía claro en la vida era que la amaba con toda su alma, y daría lo que fuera por hacerla feliz.

—Dame un poco de tiempo —contestaba— confía en mí. Vamos a hacerlo, pero tenemos que planificarlo bien. Necesitamos un plan. Y también algo de dinero para empezar, después ya nos arreglaremos. No sé, quizás si les pido ayuda a mis padres...

—¿Estás loco? Nunca nos ayudarán, al contrario, no te dejarán volver más al pueblo, y si no puedo volver a verte, entonces me moriré.

—Tienes razón, no es una buena idea decírselo a nadie. Esto tenemos que hacerlo solos. Pero lo conseguiremos, te lo prometo, Macarena, mi amor.

Un beso sellaba el acuerdo, un beso que era el inicio de otros muchos que recorrerían cada centímetro de piel de los dorados cuerpos de la pareja de enamorados que juraban no separarse jamás.

41

La vida no está hecha de blancos y negros, sino que posee una extensa gama de matices. Más allá del titular, resulta conveniente leer la letra pequeña para no hacernos una idea equivocada de la realidad. Esto fue lo que ocurrió cuando la noticia del hallazgo de un cuerpo se extendió por los rincones del idílico pueblito marinero. Ciertamente, el extraño movimiento de tierras correspondía a una sepultura, un hoyo excavado entre las rocas para enterrar clandestinamente a un muerto. Sólo que lo que encontraron dentro dejó a todos sorprendidos.

El filo de la pala tocó una masa blanda. Estaba envuelta en un saco. Lo izaron hasta la superficie. Retamares, en pie, un cigarrillo tras otro apoyado en la comisura de los labios, en guardia tras haber sofocado momentáneamente el intento de linchamiento, supervisaba la operación en silencio. ¡Con cuidado!, decía el sargento Gombo de la policía local, asumiendo un papel protagonista que nadie le había dado. Cuando el fardo estuvo finalmente sobre la hierba, los de la científica se apresuraron a preparar sus utensilios de trabajo, cámara de fotos, material para extraer huellas dactilares y bolsitas de plástico para recoger cualquier indicio que pudiera servir como prueba de lo que había ocurrido. Antes de proceder a desvelar el contenido de la gran bolsa en la que yacía el cuerpo, todos miraron al inspector en busca de autorización. Este la dio con un simple movimiento de cabeza, mientras de su boca pendían los restos incandescentes de algo más próximo a una colilla que a un cigarrillo.

El sargento Gombo fue el primero en tener una arcada al abrir el saco. Una ola nauseabunda, pestilente, se apoderó de la escena. Dentro se intuía una masa informe y peluda, como si al muerto le hubieran puesto un abrigo de pieles por encima.

—Joder —dijo el ayudante de Retamares— esto huele a perro muerto.

El inspector lo miró severamente, dio media vuelta y se dirigió al coche. Mientras se alejaba respondió con voz firme, para que pudiera escucharlo todo el mundo.

—¿Y a qué quieres que huela? ¿No ves que es, precisamente eso, un perro muerto?

Se trataba de uno de los pastores alemanes de Von Schulle y, por el estado del cuerpo en descomposición, debía llevar allí enterrado bastante tiempo. Por qué había decidido cavar la fosa fuera de los límites de su finca, donde disponía de espacio de sobra para hacerlo, era algo que sin duda habría que averiguar, pero que en ese momento a Retamares le importaba bien poco. Sin embargo, no hubo que esperar mucho para desentrañar el misterio. La solución la trajo el sargento de la policía local casi inmediatamente.

—En realidad —dijo— está dentro de su finca, pero hace unos meses el ayuntamiento le planteó un conflicto por unas servidumbres de paso y el alemán, para evitar problemas, cedió y aceptó retirar la verja de su finca unos metros hacia atrás. Lo sé bien porque fui yo mismo el que tuve que llevarle la ordenanza municipal. Y, por cierto, no me dejó atravesar ni la primera valla, salió al camino a recoger la notificación. Un tipo raro, ese alemán.

La falsa alarma creada con el descubrimiento de la tumba del perro sólo pareció alegrar a la madre de Macarena, que fantaseaba con la idea de que la chica se hubiera ido por voluntad propia y recuperó así la esperanza de encontrar a su hija con vida. Para ella era duro de aceptar, pero infinitamente mejor que la descabellada idea de no volver a verla. No entendía el porqué, ni le encontraba razón de ser alguna, pero al menos esa opción le permitía mantener la esperanza de volver a abrazarla. Su padre, en un meritorio ejercicio de cinismo, juraba entre lágrimas que, si decidía regresar o si al menos daba señales de su paradero, no se enfadaría con ella, todo podía hablarse, y ellos, sus padres, estaban ahí para darle todo el amor que fuera necesario si es que la chica tenía algún problema. Nada podía ser tan terrible, aseguraban, y juntos iban a ser capaces de solucionar cualquier asunto complicado que le hubiera surgido. Era en esos momentos cuando los más optimistas, tratando quizás de autoconvencerse, veían un rayito de esperanza y soñaban con el momento en que la encantadora niña regresara a casa, y entonces todo habría sido una horrible pesadilla que quedaría sepultada para siempre en el cajón del olvido.

Los periodistas, en cambio, parecían defraudados al ver que no habían hallado el cadáver, como si les hubieran hurtado la noticia de sus vidas y los que hubieran perdido a una hija fueran ellos. La gente, por su parte, comenzaba a inquietarse. Necesitaba ya a un culpable y, si no lo había, tendrían que inventarlo. Lo más sencillo sería tomar un atajo y colgarle el muerto, nunca mejor dicho, al primer desgraciado que tuvieran más a mano, y en esa lotería el alemán seguía teniendo todas las papeletas. Algunos, los más juiciosos, pedían paciencia, aferrados a la esperanza de que todo tuviera una explicación racional y la tragedia no llegara a consumarse. Pero era imposible pedirle peras a un olmo que ya apuntaba a ciprés de camposanto.

42

El día en que Macarena desapareció, Adolf Von Schulle, de cuarenta y tres años de edad, nacido en la Baja Sajonia y vecino de la localidad desde hacía un par de décadas, pasó toda la jornada encerrado en su casa, esa a la que los vecinos del pueblo llamaban el castillo. Era por todos conocido que apenas salía de ese encierro voluntario al que se había consagrado desde que apareció por la apacible localidad costera. No resultaba, por tanto, sorprendente que en un día soleado y hermoso en pleno verano eligiera la reclusión en lugar de cualquier otro de los planes que le ofrecía la vida. Cierto era que su casa parecía muy confortable, o al menos eso se deducía de su ubicación mirando al mar. Quizás allí dentro tuviera todo lo que necesitaba, vistas maravillosas de la costa, sus perros, jardín, quien sabe si una piscina, sus libros y recuerdos. En cualquier caso, todo eran conjeturas, ya que durante los años que llevaba viviendo allí, nadie había conseguido flanquear el muro que se interponía entre su mundo y el mundo real en el que vivían el resto de los mortales. Ni siquiera la policía lo consiguió. La conversación que Von Schulle sostuvo con el inspector asignado para investigar la desaparición tuvo lugar a las puertas de la propiedad del alemán, quien en ningún momento invitó al agente a pasar y se mantuvo impasible durante los largos minutos que duró el cuestionario, bajo el dintel de la puerta de acceso a los jardines. El inspector sabía que necesitaría una orden judicial para acceder a la finca, pero no existía ni el mínimo indicio racional de que el alemán guardara intramuros de su propiedad algún secreto que pudiera resultar clave en la investigación, y con ese panorama sabía con seguridad que no merecía la pena ni solicitar la orden, porque ningún juez en su sano juicio la iba a firmar.

Con el tiempo tuvo que reconocer que, en realidad, lo que sentía era curiosidad por saber cómo era el refugio del alemán, y no la sospecha de que allí pudiera ocultar a Macarena o cualquier indicio relacionado con su desaparición. No era eso, sin embargo, lo que pensaba una buena parte del pueblo. La imaginación del vulgo siempre es calenturienta y gusta de fantasear con las historias más truculentas. A su huraño vecino ya le habían colgado todo tipo de sambenitos, el más habitual de los cuales era el de que se trataba de un nazi huido a la caída del Tercer Reich, tal como lo hicieron centenares, quizás miles, de oficiales del ejército más ignominioso de cuantos ha visto la historia reciente del mundo, tras la derrota sufrida en la segunda gran guerra. Muchos de ellos buscaron asilo y refugio en países gobernados por dictadores aliados del Führer, principalmente en Sudamérica, pero también en Europa. Y allí, en el pequeño pueblo de pescadores de la costa atlántica, nadie dudaba de que Adolf Von Schulle fuera uno de esos individuos. Él, por su parte, ni siquiera había hecho el esfuerzo de negarlo, nunca se interesó en relacionarse con los habitantes de la localidad, nunca recibió visitas, le bastaba con vivir encerrado en el mundo que se había creado a su medida en el viejo caserón de la colina.

El alemán infundía a la gente un profundo respeto que, en realidad, era simple y llanamente miedo. Con el paso de los años se fueron acostumbrando a su presencia casi invisible, pero sin llegar nunca a tenerle simpatía o a sentir la mínima confianza como para entablar una conversación en las escasísimas ocasiones en que se dejaba ver por las calles. Era un hombre guapo, eso era indudable, un ejemplar lustroso de la raza aria. Pero su belleza tenía un poso intimidatorio, quizás demasiado perfecto en un país de piel oscura en el que sólo los más jóvenes empezaban a tener una estatura cercana a la media continental.

Con este panorama no resultaba extraño que a su alrededor surgieran las leyendas y las historias más disparatadas, y desde luego la súbita desaparición de una chica como Macarena era motivo suficiente como para imaginarse las más tétricas conexiones entre ambos. Adolf Von Schulle, sin embargo, mantuvo la corrección y la calma en todas sus declaraciones. A la realizada inicialmente a la puerta de su casa siguió otra que se produjo ya en comisaría, pues prefirió acercarse él al cuartel de la policía antes de que vinieran de nuevo a molestarle a sus dominios.

Su actitud volvió a ser de lo más colaboradora, tratando de cooperar en todo lo que estuviera en su mano que, desgraciadamente, no era mucho. Apenas conocía a la chica, sólo de haberla visto por el pueblo en alguna ocasión, pero nunca había intercambiado una palabra con ella. Hacía días que no la había visto, pues llevaba ya unas cuantas jornadas sin abandonar la casa y sin acercarse al mercado en busca de provisiones. Y reiteró que, desde luego, el día de la desaparición lo pasó entero encerrado en su hogar. Por si resultaba de interés para los investigadores matizó que ocupó la mayor parte de sus horas en cuidar de las plantas del jardín, atender el pequeño huerto que por esa época de verano le daba unos tomates fabulosos, y a trabajar en la finalización de un puzle de diez mil piezas que, una vez terminado y enmarcado, ocuparía una de las paredes del salón reproduciendo un impresionante paisaje de la Antártida pues —sostenía Von Schulle no sin ciertas dosis de humor— la imagen de un lugar frío no vendría mal para aliviar tanto calor como les traía el verano allá en el sur.

Después cenó y se acostó pronto, tal como era su costumbre, mientras leía textos teatrales de Esquilo y Aristófanes. En su juventud no tan lejana, había sido un amante de la escena, e incluso había puesto en pie algún montaje con los compañeros del grupo de teatro universitario, unas adaptaciones de obras de Schiller y Goethe, por si a alguien le interesaba el detalle. Y eso era todo. De Macarena ni una noticia, es más —manifestó— tardó aún algún tiempo en enterarse de que la chica había desaparecido, ya que en su residencia no leía diarios ni escuchaba la radio. Hasta que un par de días más tarde bajó a la farmacia en busca de medicinas y a la confitería a por sus pasteles favoritos, no se enteró de la noticia que había convulsionado a todo el pueblo y en el que no se hablaba de otra cosa. A continuación, tuvo lugar la visita del oficial encargado del caso que acudió a su casa, y esa fue ya la confirmación de que los rumores que había escuchado esa mañana eran lamentablemente ciertos. No se le veía, en cualquier caso, excesivamente consternado, ni tan siquiera apenado por un hecho que había sacudido la paz de una comunidad tan tranquila. Von Schulle podía ser cualquier cosa menos un cínico, y si su corazón no sentía nada le parecía ridículo fingir lo contrario.

Esto fue a grandes rasgos lo que declaró Adolf Von Schulle, de cuarenta y tres años, nacido en la Baja Sajonia y vecino de la localidad desde hacía casi dos décadas, durante las investigaciones llevadas a cabo por la policía tras la desaparición de Macarena Albanta.

Y, sin embargo, nada de lo que había dicho era cierto.

43

En el camino que lleva a la ermita hay un coche aparcado en un recodo de la carretera. Parece abandonado en el arcén, en una pista estrecha y sinuosa en la que, si se cruzaran dos vehículos, uno de ellos tendría que detenerse para cederle el paso al otro. Es muy temprano. Ha amanecido hace apenas unos minutos y el rocío de la noche todavía moja los arbustos que crecen en la ladera. A esas horas el pueblo aún se está desperezando y a nadie se le ocurre aventurarse colina arriba, porque la senda no lleva a ningún otro lugar más que a la pequeña capilla marinera, cerrada todavía en ese momento de la mañana.

El coche aparcado no lleva allí mucho tiempo, ha llegado con los primeros rayos del sol. Nadie ha salido de él. Nadie ha entrado en él. Las ventanillas permanecen subidas, y los cristales están tintados. Sólo se escucha el graznido de los pájaros y el silbido del viento. Todo lo demás es silencio y calma. De pronto el ruido lejano de un motor interrumpe la paz del momento. Poco a poco se va escuchando con más claridad. Se está acercando. Un instante más tarde un vehículo aparece tras la curva. Es el viejo todoterreno de la policía local. Frena al ver el coche aparcado en el arcén, reduce lentamente su velocidad hasta situarse a su altura. El orondo sargento se baja del coche patrulla y se acerca a la ventanilla del conductor del otro vehículo. Entonces se baja ligeramente el cristal, apenas una rendija, por la que aparece una mano de hombre que le entrega un sobre. El sargento Gombo mira a ambos lados para asegurarse de que no hay nadie alrededor. Da media vuelta y regresa al volante de su coche. Deja que el otro se vaya primero, carretera abajo, de regreso al pueblo. Espera unos minutos para darle tiempo a alejarse lo suficiente y que nadie pueda verlos juntos. Aprovecha esos minutos para abrir el sobre y ver lo que contiene. Saca un fajo de billetes. Los cuenta. Sonríe satisfecho. Hay otros dos fajos más, idénticos. También los cuenta. Vuelve a sonreír. Parece que está todo. Cierra el sobre y lo guarda en el bolsillo interior de su chaqueta, protegido por una cremallera para no extraviarlo. Luego arranca el coche, da media vuelta y regresa al pueblo. En el cuartelillo le espera la máquina de café y una nueva jornada por delante.

—

Es ya casi mediodía y las puertas de la farmacia siguen cerradas. Los clientes acercan sus caras al escaparate, tratando de ver algo en el interior. Al fondo, en la trastienda, se intuye una luz. Algunos, los más osados o los más impacientes, golpean con los nudillos en el cristal, intentando llamar la atención del boticario, pero nadie responde a las llamadas. Por fin, cercana ya la hora del almuerzo, Remedios Mudela, la mujer del farmacéutico, levanta la persiana metálica y abandona el local a toda prisa, procurando que nadie la vea. Tiene el gesto alterado, los ojos enrojecidos de haber llorado, y un rictus que denota una mezcla de enfado, nerviosismo y miedo, todo a partes iguales.

Unos segundos más tarde aparece su marido, saliendo también de la trastienda del negocio. Su gesto es serio. Está enfadado. No es difícil deducir que acaba de tener una larga discusión con su esposa. Enciende las luces, se pone la bata blanca, ordena algunos papeles, desbloquea la caja y, antes de que tenga tiempo de plantearse ninguna pregunta, suena la campanilla de la puerta y se dispone a recibir a su primer cliente. Sólo que quien entra en la farmacia no es ningún cliente, no es alguien que venga buscando alguna pastilla o alguna pomada. Lo que viene buscando es consuelo, y no está muy claro que Gúmer el boticario disponga de medicinas para tratar ese mal. Frente a él está Romano Santacruz, el tabernero, y no trae muy buen aspecto. Tenemos que hablar, dice nada más llegar. Gúmer lo mira con cara de resignación. No le apetece nada tener que hacerlo, sobre todo después de la bronca que acaba de tener con su mujer, pero sabe que no le queda otro remedio. La campanilla de la puerta anunciando la llegada de otra clienta le ofrece una tregua. Romano se anticipa al saludo, atiéndela a ella primero, yo no tengo prisa. Ella le da las gracias, saca de la cartera la tarjeta sanitaria y espera a que el farmacéutico regrese con sus medicinas. Intenta entablar conversación, pero hoy Gúmer no tiene ganas de fingir, se muestra eficiente y profesional, pero seco y distante. La señora se da cuenta y no insiste más. Recoge sus medicamentos, píldoras para todos los males imaginables, muchos de ellos contradictorios entre sí —calmantes y excitantes, laxantes y astringentes— paga y se va. Los dos viejos amigos, de nuevo a solas, recuperan su conversación.

—¿Qué vamos a hacer? —pregunta el tabernero.

—No lo sé, acabo de tener una discusión con Remedios precisamente por eso. Yo creo que lo mejor es que sigamos haciendo vida normal, como si no hubiera pasado nada.

—Vilches parece muy decidido.

—Vilches no va a averiguar nada porque nosotros respetaremos nuestro pacto de silencio. ¿Está claro?

Romano asiente con gesto compungido, como el niño al que hubieran reñido por hacer una travesura.

—Sí, yo también creo que eso es lo mejor, ya se cansará.

—Y después se irá y todo seguirá igual. ¿Está claro? —El tabernero asintió de nuevo—. No va a pasar nada porque no va a encontrar nada. Por mucha mierda que remueva no va a conseguir sacar nada en claro.

El otro volvió a asentir ya más aliviado.

—Gracias, amigo, me dejas más tranquilo.

La campanilla de la puerta volvió a interrumpirles. Esta vez se trataba de una turista despistada con evidentes muestras de no haberse puesto crema bronceadora ni protección solar. Esperó su turno, apenas un segundo, porque Romano, ya más sonriente, le dijo:

—Yo ya me iba.

Cuando estaba a punto de salir por la puerta, Gúmer lo llamó con voz firme. Él se giró y miró desconfiado. Definitivamente, tenía los nervios a flor de piel. Su amigo le sonrió y le entregó un paquete de caramelos.

—Toma, anda, son mentolados. Te vendrán bien para la garganta, que últimamente parece que no te sale la voz del cuello.

44

El día en que Macarena desapareció, Vilches Galván, de dieciocho años y vecino de la capital, veraneante habitual en el pequeño pueblo de pescadores, pasó toda la jornada muy inquieto. Había estado con Macarena compartiendo risas, caricias y besos, alejados del ruido que genera el mundo al girar y del escrutinio de miradas indiscretas.

Su refugio secreto era la cueva de los arrayanes. En ella la pareja podía pasarse horas enteras ajena a la tiranía del reloj, cubriéndose de arrumacos y carantoñas. Luego dieron un paseo en barca, siempre a cuatro brazadas de la costa, al resguardo de la línea de tierra que les impidiera ser arrastrados mar adentro. Se bañaron cuando el calor más apretaba, y luego se secaron al sol como la ropa tendida. Sus cuerpos, a esas alturas del verano, ya estaban lo suficientemente dorados por el sol como para no necesitar excesiva protección solar. Luego regresaron a la cueva de los arrayanes y continuaron charlando y contándose los últimos chismes sobre las andanzas de sus compañeros de la pandilla. Y eso fue todo. Ya nunca más volvieron a verse.

Pero como si un mal presentimiento hubiera venido a instalarse en su corazón, Vilches pasó toda la jornada inquieto, agitado, sin saber muy bien por qué. El caso es que algo le oprimía en el pecho, un sentimiento de angustia similar al que experimentó la madre de la chica en cuanto pasaron unas pocas horas sin que diera señales de vida. Quizás quienes más la querían tenían una conexión invisible con Macarena, de la que no era partícipe nadie más.

Vilches había llegado al pueblo siendo muy niño, tanto que no recordaba su primer viaje. Cuando él nació, sus padres acababan de comprarse el pequeño apartamento situado cerca de la escuela. En él había crecido, había disfrutado de una infancia feliz junto a los otros chicos que residían de forma permanente en el pueblo. Cuando llegaba el verano comenzaba un periodo de felicidad que limpiaba por completo el tedio de los largos inviernos en la ciudad, con el frío y la lluvia metidos en el cuerpo calando hasta los huesos, súbitamente transformados en calor y deseo. Todos los veranos de su infancia habían sido muy hermosos, tiempo de cerezas en una primavera interminable, pero este, el verano en que ella desapareció, había sido aún más especial, porque en él se había asentado definitivamente en su corazón la maravillosa y desasosegante sensación del enamorado. Hacían una pareja fantástica. Macarena y Vilches formaban un dúo encantador, chicos jóvenes, sanos, guapos, educados y responsables, con ese punto de timidez que los hacía a ambos adorables, pues de ellos emanaba una ternura que invitaba a quererlos.

Y justo cuando más felicidad había, el sueño se convirtió en pesadilla. Con Macarena no sólo desapareció un ser dulce y bello, sino que se esfumó también la inocencia insensata de que el mundo es un lugar acogedor e idílico.

El tiempo demostró que Vilches tenía razones para sentirse inquieto. Ya no volvió a ver a la chica, aunque nunca llegó a aceptarlo. Ocurrida la desgracia, decidió reinventarse y dar por cerrado un capítulo de su vida. Cuando al final de ese verano de sobresaltos y dramas regresó a la capital, lo hizo con una decisión tomada, la de no regresar al pueblo jamás, la de comenzar una vida nueva en la que ella no ocuparía ningún papel. Aunque, por mucho que lo intentó, nunca pudo evitar que su recuerdo viajara junto a él allá donde la vida le llevó. Ni un solo día fue capaz de dejar de pensar en ella. Ahora, con la vida comenzando ya a enfilar la recta de meta, pasado casi medio siglo desde que todo ocurrió, había decidido que ya era el momento de volver a enfrentarse con los fantasmas de un pasado que había dejado heridas que ni el paso de tantos años había logrado cicatrizar. Era la hora de regresar para saldar las cuentas pendientes.

Sin embargo, no se encontró con el recibimiento esperado. Su presencia parecía incomodar a todo el mundo, como el alma en pena que reaparece cuando nadie la espera y sólo consigue crear una atmósfera enrarecida allá por donde pasa. Lejos de ser bienvenido con la emotividad que demandaba la ocasión, sus viejos compañeros de juego, sus inseparables colegas de correrías en la pandilla, le brindaron una recepción fría. Una actitud esquiva que a todo el mundo incomodaba, pues hacía ya demasiado tiempo que Vilches había desaparecido de sus vidas y su regreso traía el recuerdo ya superado de un verano traumático. Y es que con Macarena había desaparecido también la pandilla de amigos. Y ya nunca nada volvió a ser lo mismo.

Esto fue lo que declaró Vilches Galván, de dieciocho años y vecino de la capital, veraneante habitual en el pequeño pueblo de pescadores, durante las investigaciones llevadas a cabo por la policía tras la desaparición de Macarena Albanta.

Y por una vez todo lo que había dicho un testigo era cierto.

45

Tal como había previsto el inspector, las batidas organizadas por el monte y los alrededores no dieron ningún resultado. No se encontró ningún indicio que pudiera ofrecer luz sobre el destino de la desaparecida Macarena, ni restos de ropa, ni huellas o marcas de una posible huida por los bosques. De nada sirvió tampoco la campaña puesta en marcha por los vecinos que llenó la comarca de carteles con la foto de la muchacha, ni la recompensa que ofrecieron los padres por cualquier dato o pista que pudiera conducir hasta la joven. Retamares no aprobaba estas actuaciones, pero tampoco se oponía a ellas expresamente, ya que al menos servían para tranquilizar a las familias y hacerles creer que se estaba haciendo todo cuanto era posible. Pero en el fondo, el policía sabía que tales despliegues raramente ofrecían resultados positivos y que, bien al contrario, en ocasiones sólo servían para despistar y crear mayor desconcierto e incertidumbre, pues raro era el día en el que no se recibía la llamada de algún perturbado o de alguien que, con buena fe, ofrecía una información que no conseguía más que abrir líneas de investigación equivocadas que no conducían a ninguna parte. En lo único en lo que confiaba el inspector era en la fuerza de los hechos y en sus capacidades deductivas, justamente las herramientas de las que se había valido a lo largo de toda su vida hasta labrarse una carrera de éxitos que le había granjeado el respeto de sus colegas de profesión. Para ello resultaba fundamental interrogar una y otra vez a los integrantes del círculo más cercano a la chica, tratando de establecer alguna conexión reveladora o de destapar alguna contradicción o alguna mentira que le ofreciera el hilo del que seguir tirando para desenredar la madeja del misterio. Pero por mucho que lo intentó no hubo manera de encontrar ni un triste resquicio al que agarrarse, una y otra vez todos los caminos desembocaban en el mismo lugar: la oscuridad.

—

Hubo que esperar a que terminara agosto para que la vida siguiera su curso. Con el otoño a la vuelta de la esquina era hora de regresar al trabajo, guardar los bañadores y la crema bronceadora, volver a llevar a los niños al colegio y todos de nuevo al tajo para poder llenar la nevera. Retornó la cansina política, la liga de fútbol cargada de fichajes y expectativas de ver un año más el partido del siglo, la ropa de entretiempo, los paraguas y, en nada, la Navidad, cuenta atrás en la media noche del treinta y uno y a empezar un nuevo año. Este aluvión imparable que se repite cada año con la precisión de la crecida de un río, trajo también el olvido de los casos que habían copado titulares y portadas tan sólo unas semanas antes. Ya nadie parecía acordarse de la chica desaparecida, ni de su desconsolada madre que tan popular se había hecho mostrando su desgarro e implorando caridad a no se sabía muy bien quién, un *totum* que abarcaba desde Dios al último de los corazones pecadores. El caso de Macarena Albanta se fue evaporando del mismo modo en que lo había hecho ella misma, sin hacer ruido, de repente, sin dejar señales a su paso.

La falta de presión popular y la terca realidad que demostraba que no se habían producido avances significativos en la investigación, llevaron a las autoridades competentes a reasignar los siempre escasos recursos de que disponían y ponerlos a trabajar en otras causas, en otros crímenes, en otros enigmas. El asunto de la desaparición de Macarena había tenido ya su minuto de gloria y a él se habían dedicado las suficientes horas de trabajo, medios técnicos y materiales, y el necesario personal cualificado durante demasiado tiempo. Que no se hubieran obtenido resultados destacables no era atribuible a la diligencia mostrada por el Estado en todo el proceso, sino a la constatación de que, en ocasiones, hay casos que inevitablemente quedan sin resolver. En estas ocasiones se archivan las investigaciones con una nota al margen en la que se guardan las apariencias afirmando que el expediente podría volver a abrirse en el momento en que aparecieran nuevos datos o indicios, indicios o datos que, obviamente, no solían aparecer casi nunca.

Con el final del mes de agosto llegó también el final de la estancia en el pueblito marinero del inspector Retamares y su ayudante. Se cumplieron sus peores presagios y, tal como se veía venir, ese verano el policía se quedó sin vacaciones. Lo que no entraba en la ecuación era que, además de tener que pasarse todo el mes trabajando, tanto esfuerzo no sirviera para nada, porque se fue de allí tal como había llegado, sin una miserable pista que arrojara algo de luz al caso más complejo de cuantos había tenido que resolver en toda su carrera. Su complejidad radicaba, paradójicamente, en su simplicidad, hasta el punto de que alguna vez, en los momentos de debilidad, el inspector Retamares llegó a plantearse si la chica había existido realmente o todo había sido fruto de la imaginación de los vecinos del pueblo, una especie de alucinación colectiva que les había llevado a todos ellos a creer en lo que nunca existió.

Su etapa en el pueblo ni siquiera le sirvió para trabar una relación de afecto con el sargento Gombo de la comandancia local, al que consideraba un inútil y un vago, un representante de lo peor que la policía podía ofrecer a la sociedad. Y todo bajo una capa de amabilidad y sentido común que no hacían más que tapar su incompetencia. En cualquier caso, nada funcionó, y trascurridas varias semanas desde el fatídico día de la desaparición todo seguía en el punto de partida. En el momento de su marcha, Retamares no pudo evitar sentir un malestar en el estómago, la prueba de que algo no había quedado bien alineado, de que el equilibrio se había perdido por completo.

El inspector regresaría a sus quehaceres en la capital con el sentimiento de que las cosas no se habían hecho lo suficientemente bien. Estaba incómodo. No estaba acostumbrado a cerrar una carpeta sin ponerle el sello de caso resuelto. En su labor policial nunca le gustaron los finales abiertos con el cartel de «Continuará...», a la espera de que llegue la segunda parte de la historia, porque aquí, probablemente, no iba a haber segunda parte. Algunas noches el vacío se le hacía insoportable y empezaba a pensar que el asunto Albanta iba a perseguirle durante toda la vida, como si se tratara de una pesadilla recurrente. Temía no ser capaz de quitarse de la cabeza las claves de un misterio que, de momento, le había derrotado, precisamente a él, a quien no había caso que se le resistiera.

46

Su cuaderno estaba lleno de anotaciones. En un diagrama trazaba líneas que unían los nombres de los personajes principales relacionándolos con la desaparecida, amigos, novio, padres, vecinos… y así hasta completar una larga lista en la que se incluía a todos aquellos con los que Macarena tenía algún tipo de relación. En otro diagrama relacionaba las motivaciones que cada uno de ellos pudiera tener para hacer daño a la chica. Y en un tercero contemplaba todas las posibilidades existentes, desde la desaparición voluntaria al secuestro, del asesinato a la pérdida de conciencia debida a algún accidente que hubiera podido anular temporalmente la razón de la joven. Intentaba buscar conexiones que alumbraran la oscuridad en que se encontraba, incapaz de encontrar un solo indicio, una sola pista que le pusiera en la senda correcta para resolver el enigma.

Había hecho impecablemente su trabajo, había aplicado el método con todo rigor y, sin embargo, nada había dado resultados. Pero en el fondo sentía una sensación extraña, la certeza de que algo se le había escapado, algo que estaba delante de sus narices y que era incapaz de ver, deslumbrado por la belleza del paisaje y la vida relajada y bucólica del pueblito marinero. Era una simple intuición, no tenía nada sólido en que apoyarse, pero definitivamente había algo que no encajaba, una nota discordante que ensuciaba la melodía.

Sentado en la pequeña terraza de su habitación, en plena noche, con un cigarrillo en los labios y un *whiskey* con hielo en la mano, escuchaba el suave arrullo de las olas al morir sobre la arena. Tanto la visión como el sonido eran hipnóticos. A pesar de la hora, la piel estaba sudorosa. Retamares estaba descalzo, con la camisa desabrochada, tratando de encajar todas las piezas de un puzle que parecía armónico y completo. Aquel caso era como un mueble que, al montarlo, parece quedar perfectamente armado y, sin embargo, le ha sobrado un tornillo. Y entonces uno piensa que lo que quizás estuviera mal fuera el paquete de las herramientas, y que esa pieza sobrante hubiera acabado allí por error. En ese instante empezó a entenderlo todo. No se trataba de que Macarena hubiera desaparecido, sino de que la chica no encajaba en ese cuadro, era el tornillo sobrante que no es necesario para ensamblar el mueble. En definitiva, que, o bien Macarena no era un ser tan puro y maravilloso como le habían hecho creer, o los que no eran tan encantadores eran los habitantes del pueblo. Una de las dos premisas tenía que estar equivocada y, a estas alturas, lo único que lamentaba era que quizás fuera ya demasiado tarde para averiguarlo, porque su estancia en el pueblito marinero llegaba a su fin y tenía órdenes estrictas de sus superiores de regresar al día siguiente a la comisaría central, en la capital. Ya se habían agotado tanto los recursos como la paciencia de sus jefes, y otros casos, otras desapariciones y otros asesinatos le esperaban sobre la mesa a su regreso. Porque la maquinaria del mal no se detiene nunca.

La luz de la habitación de al lado se encendió de pronto. Unos segundos más tarde aparecía en el balcón la figura esbelta y atlética de su joven ayudante. Iba vestido sólo con una camiseta y unos calzoncillos, el pelo revuelto, con aspecto de acabar de levantarse de la cama. Se apoyó en la barandilla y se quedó absorto mirando al mar, sin darse cuenta de que, a apenas un par de metros, en el balcón de al lado, estaba su jefe a oscuras tomándose una copa. Lo delató el crepitar de una piedra de hielo al romperse. El joven ayudante pareció asustarse, sorprendido, hasta que los ojos se acostumbraron a la oscuridad.

—¿Usted tampoco puede dormir, inspector?

—Estaba pensando en el caso, intentando entender dónde nos perdimos.

—Usted nunca deja de trabajar, ¿verdad? Lo mejor será que lo olvidemos, jefe, mañana debemos irnos y no creo que haya ya nada que podamos hacer. Vaya usted a saber qué habrá sido de esa chica. Al fin y al cabo, este país está lleno de crímenes sin resolver y de desaparecidos de los que ya nunca se volvió a saber nada. Tendremos que asumirlo.

El inspector encendió otro cigarrillo, dejando ver su duro rostro a la luz del fósforo. Tragó el humo, saboreando cada brizna de tabaco y alquitrán, quemando voluntariamente los pulmones en una hoguera de adicción de la que no tenía ningún interés en escapar, y por fin dijo:

—Eso es lo malo, que tendremos que asumirlo. Y no soporto asumir el fracaso.

Después se quedaron en silencio, cada uno sumido en sus propios pensamientos, mientras frente a ellos la luna dibujaba escamas de plata sobre las aguas de un mar cargado de naufragios y secretos.

47

En el solsticio de verano, durante la noche más corta del año, arden en la hoguera de San Juan los muebles viejos, los malos recuerdos y las rencillas de antaño. Y con las llamas, ese fuego voraz que se eleva a los cielos, se purifica el alma y renacen las ansias de vivir. Esa es al menos la teoría. En la práctica, la noche de San Juan había perdido buena parte de su esencia para convertirse en una borrachera colectiva sobre las arenas de la playa, a la luz de una hoguera que da lumbre y se transforma en una antorcha gigante que ilumina la fiesta. Bailes y canciones regados por combinados de ginebra y ron, *whiskey* barato y vino peleón para los menos pudientes. Mientras el pueblo ebrio se entrega a la danza ritual, las manos entrelazadas y un corro formado alrededor del tótem en llamas, un pasito adelante y otro pasito atrás, una planeadora con los motores en sordina se acerca a la costa.

Navega a oscuras, amparada por la complicidad de la noche. Se detiene cerca de la playa, y por la borda cae al agua un fardo no muy grande, del tamaño de una caja de zapatos. Va forrado en plástico y cerrado herméticamente con cinta americana del color del chocolate. Dentro lleva polvo blanco, cocaína de la más alta calidad y pureza. Pesará unos cinco kilos, que bien cortada con basura de diversos grados de putrefacción —caliza, harina, polvo de arena, tiza— multiplicará su cantidad y su valor. La planeadora gira en redondo y enfila la proa de nuevo mar adentro, sólo unos cientos de metros, hasta virar a babor y seguir su ruta al cabotaje en busca de otra cala donde esperan más mercancía. El pequeño fardo que ha arrojado frente a la cueva de los arrayanes, a las afueras del pueblo, flota unos instantes en el agua, remiso a hundirse. A nadie parece interesarle, pero hace rato que dos ojos lo vigilan ocultos desde la costa. Esperan a estar seguros de que no hay celada en marcha, de que el camino está despejado y seguro. Sólo entonces alguien sale de su escondite y lo recoge. Lo mete en una mochila que se echa al hombro y comienza a caminar hacia el interior del bosque de arbustos y matorrales. Es un paseo corto, apenas unos cuantos minutos antes de entrar en el pueblo, que a esas horas parece volcado, todos a una, en la ordalía de purificación nocturna de la fogata. Llega ante la puerta de un edificio blanco, recién encalado, en cuya fachada brilla el reclamo de una cruz verde. No hay mejor lugar que una farmacia para esconder droga.

Gúmer se prometió a sí mismo no continuar más con el tráfico. Otro alijo y lo dejaría, o sea, lo que dicen todos cuando descubren el maná. Se había visto obligado a meterse en el negocio por culpa de las deudas de juego, pero una vez satisfechas convenía cortar por lo sano cualquier relación con el narco. El problema radicaba en que el beneficio resultaba demasiado tentador, dinero fácil y rápido que le venía muy bien para seguir apostando a perdedor en el casino pirata.

La muerte de Tico Tachuelas vino a solucionarlo todo. Gúmer lo utilizaba para el menudeo, le preparaba pequeñas bolsitas que el lotero entregaba al dueño del Xanadú para despacharlo al por menor en el destartalado *cabaret*. Y como la avaricia es un demonio que a todos nos tienta, también Tico se acostumbró a quedarse un porcentaje del pastel sin darse cuenta de que sus patronos no eran tipos demasiado comprensivos con las debilidades humanas, y no iban a tolerar que el eslabón más prescindible y miserable de la cadena les robara. Al verse envuelto en semejante lío, Gúmer se asustó y decidió que ya no más, que su carrera de modesto narcotraficante había llegado a su fin y que podía dar gracias por haber salido airoso de tan vasto cenagal.

Palmeras de vivos colores, verdes, rojas y amarillas, dibujaban su silueta en el cielo negro. Se iluminaban durante un instante y luego desaparecían, al tiempo que eran sustituidas por otras figuras que se anunciaban con el estallido de la pólvora. Fuegos de artificio que marcaban la celebración de la festividad consagrada al discípulo favorito de Cristo, y la multitud congregada sobre la arena de la playa mirando al cielo, abrazadas las parejas de enamorados, ojos de asombro los chiquillos. Y Vilches acodado en la barandilla sobre el malecón, con la mirada lánguida y acuosa, recordando al joven acodado en la barandilla sobre el malecón que besa a Macarena por vez primera, una noche de San Juan de finales de siglo en que la pólvora teñía el cielo negro dibujando palmeras de vivos colores, verdes, rojas y amarillas. La danza prima que ayer como hoy une las manos de la gente, manos que por una vez no se dedicarán al mal, manos que no robarán, manos que no matarán. Manos capaces de acariciar y capaces de apretar para estrangular, manos expresivas para gritar basta sin pronunciar palabra. Pero la hoguera sigue desafiando la luz del faro, advirtiendo a los navegantes incautos que es mejor alejarse de ese pueblo, porque hace ya tiempo que allí se ha instalado el mal, entre idílicos paisajes de aguas cristalinas y roquedal las casitas de pescadores acogen la ira, la envidia y la lujuria. Y Vilches lo sabe. Por eso ha regresado, porque ninguna historia debe quedar inacabada y a esta ya va siendo hora de ponerle el punto final.

Cincuenta años de espera son más que suficientes para cerrar un círculo que nunca debió abrirse. Pero Macarena sonríe, abrazada al joven Vilches, le mira a los ojos y sonríe. Ella, que había nacido para ser verso de bolero, ella que tenía la sonrisa más bonita del mundo, le mira a los ojos y sonríe. Con la traca final de los fuegos de artificio, la concurrencia estalla en una ovación. El aire huele a pólvora, y de los colores que hace un instante barnizaban el cielo no quedan ya más que estelas de humo, pirotecnia que se desvanece como la figura de Macarena que hace un momento estaba a su lado y ahora se ha evaporado, ya no es más que un recuerdo evanescente imposible de aprehender, porque con ella también se ha esfumado el joven atractivo cargado de planes y sueños para dejar paso a un septuagenario que se le parece y que añora madrugadas de San Juan que ya no volverán. Arde la pira y en ella se expían los pecados del mundo, porque el fuego todo lo purifica. Lástima que sólo ocurra una vez al año, lástima que la mecha no prenda cada día en cada alborada. Lástima que no sea el pueblo entero el que arda en llamas, consumiendo hasta las raspas para que no queden de él más que las pavesas, pavesas de amores inocentes sobre las que renazcan las casas encaladas, las plazas porticadas, la iglesia y el cementerio, la escuela y el malecón contra el que rompen las olas con la rabia generada por la acumulación de los pecados del mundo. Pasará un año y se repetirá el ritual, otras hogueras se encenderán, otros enamorados se besarán, otros ojos de niño mirarán asombrados y en el cielo negro luces de vivos colores, verdes, rojas y amarillas celebrarán que el planeta gira en traslación alrededor del sol, que si el año anterior nos regaló el día más largo en este nos obsequiará con la noche más corta, la noche oscura del alma de San Juan.

48

Hay una hora mágica en mitad de la noche en la que todo se detiene. Se produce en ese instante en que los últimos pájaros nocturnos regresan ya a sus nidos tras un banquete de excesos y los más madrugadores, que siempre sorprenden al sol antes de que salga, se están preparando para lanzarse a las calles a ganarse el jornal. Es esa hora neutra, hora en la que hacen tablas la noche que agoniza y el día que está a punto de nacer, la que aprovecha Adolf Von Schulle para deslizarse silencioso, colina abajo hasta llegar a la carretera. Allí tiene aparcado un coche, un utilitario discreto de color oscuro que lleva tatuada la pegatina de una casa de alquiler. Él también va vestido de negro, para que sea más fácil camuflarse en la noche y no llamar la atención de nadie.

Lleva en sus brazos un cuerpo de mujer, ligero y menudo, con el que carga sin que su peso parezca suponerle problema alguno. Al llegar a la carretera saca de un bolsillo las llaves del coche, se introduce en él junto al cuerpo con el que ha cargado, arranca el motor y abandona el pueblo. Ya ha conseguido su primer objetivo, escapar de su castillo sin que nadie lo vea. Al cabo de un par de días se sucede la operación inversa, el mismo coche que discretamente se detiene al comienzo del sendero que lleva a la casa de la colina en plena noche, y con el mismo secretismo con el que se fue, regresa a su hogar. Asunto concluido.

Todo esto sucedió durante las amargas horas en las que Macarena desapareció sin dejar rastro. No había que ser un detective genial para sacar una conclusión. Si la policía o la gente del pueblo se enteraban de ello, sumarían dos y dos y le colgarían el muerto —nunca mejor traído— al huraño y misterioso alemán al que la envidia y la maledicencia popular habían señalado con el infame dedo acusador que distingue hipócritamente el bien y el mal. Él lo sabía y, por eso, no le quedaba más remedio que mantener su excursión en secreto y mentirle a la policía y a quienquiera que se interesara por sus movimientos. Cómo no iba a hacerlo, si le iba la vida en ello.

A Noah no le gustaba abandonar la casa. En ella se sentía protegida, segura. En el recinto amurallado de su mansión tenía todo lo que podía necesitar. Lo único que le faltaba era el contacto con otras personas y eso era precisamente lo que trataba de evitar. Había visto tanto mal que ya nunca más quiso relacionarse con nadie, su mundo era Adolf y con él tenía más de lo que jamás poseerían el resto de los mortales. Pero de vez en cuando no le quedaba más remedio que salir de su fortaleza y acudir a la ciudad a recibir los cuidados que sólo podían practicarle los médicos del hospital. Su piel quemada y su quebrada salud necesitaban tratamientos que sólo allí podían darle.

Al principio realizaba un par de escapadas al año para recibir sus curas, pero con el paso del tiempo sus desplazamientos fueron haciéndose más esporádicos, hasta que llegó un momento en que sólo salía de la casa muy ocasionalmente. Quiso el destino que una de esas escasas escapadas tuviera lugar el mismo día en que Macarena desapareció. Contar a la policía la verdad de lo que había hecho durante esas horas implicaría revelar la existencia del secreto mejor guardado en la vida de Von Schulle, el de la presencia en casa de su esposa, a la que todos habían dado por muerta en el pavoroso incendio que arrasó la escuela convertida en prisión nazi para judíos pendientes de deportación a los campos de exterminio. No existía nada que aterrara más a Noah que ser descubierta, tener que mostrar a los demás su monstruoso aspecto, su rostro desfigurado por las llamas, tener que revivir su historia para compartir su pesadilla con aquellos que la habían causado, pues con su cuerpo el fuego se llevó también por delante su respeto y su aprecio por las personas. Sólo confiaba en Adolf. El trauma la había conducido a rechazar a cualquier otro representante de la especie humana. Su felicidad y su vida dependían ahora de la presencia de su enamorado, de la paz del hogar, de los paseos por el jardín y el trocito de bosque que quedaba dentro de su propiedad, de las maravillosas vistas al mar abierto y limpio, de los pasteles de manzana que su pareja le traía, de la lealtad de sus perros y de un par de gatos que sólo se dejaban acariciar por ella. Esos eran todos los ingredientes que necesitaba para ser feliz, y en esa receta no tenía cabida ser humano alguno. Él lo sabía, respaldaba su decisión y estaba dispuesto a protegerla hasta que la naturaleza dijera basta y la muerte los separara. Y ambos sabían que algún día la muerte, implacable, habría de llegar, y los sorprendería en la veranda, mirando al mar.

Los párpados quemados apenas podían proteger a unos ojos cansados por el desgaste de los años y las barbaridades que habían visto. Noah se puso las gafas. Se las habían fabricado especialmente para ella, pues las llamas se habían llevado por delante sus orejas, como si fueran un par de arbustos en mitad del bosque calcinado. Esbozó una sonrisa tierna cuando vio llegar a Adolf, recto y digno a pesar de los noventa años con los que cargaba a sus espaldas. Había transcurrido toda una vida, y la habían transitado juntos, juntos habían vencido a la fatalidad de un destino aciago, una ruleta que para ellos no tenía previsto más que sufrimiento, dolor y derrota. Y, sin embargo, habían conseguido ganar la batalla, habían sido felices, se habían amado y habían llegado cogidos de la mano al final del camino.

Pero lo que esa mañana inspiraba tanta ternura a Noah no era simplemente la presencia de su amor, sino el hecho de que tantos años después, convertido ya en un anciano que prácticamente había consumido todo su tiempo en este mundo, siguiera perdiendo los botones de la camisa sin saber cómo coserlos. Ella le tomó la mano dulcemente y lo atrajo hacia sí. Le costó enhebrar la aguja, sus ojos mortecinos se movían como si un espíritu danzón se hubiera apropiado de ellos. Por fin lo consiguió, y al rozar con sus dedos el estómago de Adolf, hoy blando y rugoso, sintió el mismo calambre de deseo que la había poseído tantos años atrás, en el rellano de la escalera del viejo apartamento en el que vivía con sus padres en Viena.

Un botón descosido le había abierto las puertas a una vida maravillosa, la vida de los seres enamorados, y ahora un mismo botón descosido cerraba el círculo y le indicaba la puerta de salida, en un viaje hacia otros mundos, hacia otras dimensiones o, simplemente, hacia la nada. Un viaje del que nadie ha regresado para contarlo, pero un viaje que emprendería con el corazón en paz y con la inmensa felicidad de saber que al final triunfó el amor.

49

A medida que avanza por el jardín no puede evitar pensar que quizás mañana sea él quien se consuma allí. Las enfermeras son ángeles blancos que administran calditos y pastillas mientras los residentes esperan a la muerte, que es caprichosa y aparece sigilosa sin cascabeles y sin anunciarse con fanfarrias.

Vilches ha madrugado para recorrer los casi trescientos kilómetros que separan tierra adentro, norte arriba, el geriátrico del pueblito marinero. A su llegada pregunta en la recepción por el señor Retamares, Ildefonso Retamares. La enfermera revisa la ficha y mueve la cabeza como si le disgustara lo que está leyendo. Hace rápido la cuenta mental. Noventa y seis años —dice— no sé cómo se encontrará hoy, hay días en los que no pronuncia palabra, como si su mente estuviera encerrada en una prisión incomunicada y muy lejana. Pero en los momentos de lucidez, cuando regresa de ese extraño exilio mental, nos deja a todos asombrados con su memoria, realmente prodigiosa. Recuerda nombres, detalles, fechas... todo, nada se le escapa. Y cuando no quiere hablar no hay forma de sacarle una palabra, se aferra al silencio como una lapa y no hay manera. En fin, buena suerte.

Cuesta trabajo reconocerle. Los estragos del paso del tiempo han sido catastróficos. Nada funciona. Las piernas son las de un muñeco de trapo, las manos tiemblan a ritmo de párkinson, las córneas tampoco han soportado tanto trajín y nublan la vista hasta llevar al anciano lentamente en volandas hacia las tinieblas. Las manchas han parcheado la piel, pellejo que envuelve huesos descalcificados que se deshacen como azucarillos en el café.

Está sentado al sol con una manta sobre las rodillas, cautivo en una silla de ruedas que ha terminado por convertirse en su único trono. Vilches se acerca a él con cautela, como si el simple hecho de estar a su lado pudiera desestabilizarle. Así de frágil lo ve. Llama su atención tocándole suavemente en un brazo, apenas un roce para no hacerle daño. Le habla alto y claro para que pueda oírle bien, pero el problema no es la sordera, ha llegado a un punto en el que sólo escucha lo que le apetece. Al principio no le presta ninguna atención, pero entonces Vilches dice algo que activa un resorte oculto en su mente que hace que cobre interés por el forastero. Los recuerdos se le agolpan con facilidad, porque en cerca de sesenta años de carrera profesional, desde que ingresó en la academia de policía siendo un crío hasta que se jubiló, la desaparición de Macarena Albanta era el único caso que dejó sin resolver. Algo había hecho mal en el asunto de la chica desaparecida, algo se le había escapado entre los dedos durante la investigación, dejando un interrogante donde debía haber figurado la orgullosa bandera de un caso archivado. Era consciente de que los testigos no le habían dicho toda la verdad, pero no pudo probar nada, le faltaron medios y tiempo, y después le faltaron incluso las ganas. Y desde entonces llevaba pagando el precio de su propia torpeza y dejadez, obsesionado por no haber podido terminar el trabajo cuando al fin intuyó lo que había pasado.

—Me llamo Vilches Galván, nos conocimos hace...

El viejo lo cortó secamente, encolerizado y con la voz sorprendentemente potente para salir de un cuerpo en derribo.

—Sé perfectamente quién es usted.

El viejo recordaba los nombres y las caras de todos con cuantos habló, recordaba el pueblo y la playa, los atardeceres y la vida plácida interrumpida por el estupor de la desaparición de la chica. Recordaba la comarca y al sargento del cuartelillo local que le había entregado un folleto turístico para que se fuera aclimatando. Recordaba los llantos desesperados de la madre herida, la actitud aparentemente ausente y vencida del padre, las batidas por los montes, los perros y los helicópteros y las patrulleras que recorrieron la costa por si el mar devolvía un cadáver. Y sobre todo recordaba su fracaso, su impotencia ante un caso que no supo cómo afrontar y que terminó por derrotarlo.

A pesar de la hostil bienvenida, Vilches le explicó el porqué de su regreso. Le contó que él también necesitaba ponerle el punto final a esa historia inacabada, cerrar el círculo maldito que tanto daño había causado. Trató de tomarle la mano, pero el anciano inspector se deshizo de él como si su contacto le produjera urticaria. Cerró los ojos y comenzó a hablar, un soliloquio declamado con una voz rotunda que tan sorprendente resultaba para su cuerpecillo moribundo.

—Me he pasado la vida —comenzó el inspector Retamares— resolviendo crímenes. Han sido tantos y tan variados que uno se pregunta cómo es posible que el ser humano sea tan perverso. He visto asesinar por venganza, por celos, por dinero, por rencillas de familia. He visto asesinar por motivos políticos, por motivos religiosos, por disputas de unas lindes, por una herencia. He visto asesinar por el odio acumulado durante años, por despecho, por defender una bandera o un trozo de tierra. Hasta he visto asesinar porque sí, sin motivo alguno, por simple crueldad, por el obsceno y retorcido placer de matar. He visto violaciones, secuestros, torturas, mutilaciones. He visto el mal mirándome a los ojos, unas veces con ansias de revancha, otras buscando comprensión. Y a pesar de todo, nunca jamás he juzgado a nadie, porque siempre tuve claro que mi trabajo tenía más de componente intelectual que de espíritu justiciero. Para eso ya estaban los jueces quienes, por cierto, allá ellos y sus conciencias, pues no era extraño que condenaran a inocentes y dejaran en libertad a los culpables. El sistema estaba montado de tal manera que el trabajo de investigación policial no era más que el primer eslabón de la cadena. A mí lo que me interesaba era descifrar el enigma, ni siquiera me preocupaba entender el porqué, bucear en la mente retorcida del criminal para buscar las razones que le han llevado a perpetrar el crimen. Si algo aprendí con la experiencia es que cualquiera de nosotros, en un momento determinado, puede convertirse en un asesino. Lo importante era ganar la partida que inevitablemente se entabla entre el investigador y el delincuente, ambos jugando como el gato y el ratón a quedarse con el trozo de queso sin que lo atrapen. Y en ese caso del que ha venido a hablarme, el de la desaparición de esa chica, el queso se lo quedó el ratón. Este gato que le habla nunca pudo atraparle, nunca pudo darle caza. Pero el tiempo me ha dado la perspectiva que entonces me faltó, el tiempo que todo lo cura me ha permitido entender dónde estuvo el error, qué fue lo que hice mal, en qué lugar del camino tomé el desvío equivocado.

Lo que quedaba del inspector Retamares hizo una pausa para tomar aire. Vilches estuvo tentado de interrumpirle, pero el viejo no le dio opción y siguió con su relato.

—El método, eso es lo más importante, el método. Si uno sigue una metodología al pie de la letra, sin desviarse de la senda trazada y sin perder de vista el objetivo final, raro es que se le escape la presa. Pero a veces nos dejamos deslumbrar por el ruido de fondo o por el brillo de la purpurina, qué más da, cualquier cosa sirve para distraernos y, entonces, como les ocurre a los malos navegantes, no nos damos cuenta de que una mínima desviación de un grado puede conducirnos muy lejos del destino fijado. Entonces no me di cuenta, di por hecho que la brújula marcaba correctamente las coordenadas, pero el engaño ya estaba hecho y yo había comprado todos los boletos para una rifa falsa y tramposa. Escuché a todos los testigos y a todos creí. Sus declaraciones eran coherentes, su dolor sincero, sus coartadas sólidas. Pero me engañaron, todos ellos me engañaron. No me contaron lo que sabían, y lo que contaban no era toda la verdad. Fue algo que entendí muchos años después, cuando ya no importaba nada, cuando ya no le importaba a nadie.

—A mí me sigue importando —le interrumpió Vilches.

El inspector continuó sin prestarle atención.

—De nada sirve mortificarse, porque al final todos acabaremos como aquella chica, Macarena. Todos desapareceremos y no dejaremos ningún rastro, quizás alguien se acuerde de nosotros durante algún tiempo, los acreedores si hemos dejado deudas, los descendientes si hemos dejado herencia. Pero ellos también se irán, y de ellos tampoco se acordará nadie. ¿Qué sentido ha tenido mi trabajo? ¿Acaso el mundo es un lugar mejor porque yo haya arrestado a un puñado de criminales? ¿Acaso he salvado alguna vida? Y si las he salvado, ¿para qué ha servido, si el final del cuento es siempre el mismo, un final en el que los protagonistas ni fueron felices ni comieron perdices? Lo único que queda es el orgullo, el amor propio del investigador, que no admite la derrota, que no soporta que el ratón le doble el brazo y le deje sin el premio del triunfo. Eso es lo único que me ha torturado durante tantos años al pensar en esta historia, la torpeza de no haber sido capaz de desentrañar el misterio cuando debí hacerlo, no haber sabido desenrollar la madeja siguiendo el hilo correcto.

No me duele que un culpable haya quedado impune, qué importancia puede tener eso, lo que me molesta es mi propio fracaso, porque si el investigador fracasa está fracasando el Estado, y si el Estado fracasa está fracasando toda la sociedad. Es un fracaso colectivo del que nadie nos puede redimir.

Hizo una nueva pausa para volver a tomar aire y continuó hablando. Esta vez Vilches no intentó decir nada.

—Algo no estaba bien en ese pueblo. No digo que en él habitara el mal, que al fin y al cabo está en todas partes, o que en el corazón de sus habitantes sólo hubiera veneno. No, no era eso. Me refiero a algo más sutil, a una capa de suciedad enmascarada por la cal de las fachadas, que reflejaban un blanco purificador cuando en realidad ocultaban la miseria de unos sentimientos turbios. La envidia, la maledicencia, los celos, la avaricia... Esos eran los ingredientes con los que se cocinaba el guiso, y yo no supe verlo. Me creí la canción de las familias felices, la copla de los vecinos idílicos que se apoyaban unos a otros, de los grupos de amigos unidos por lazos eternos de amor y solidaridad, de las chicas angelicales que parecían haber nacido en tarros de almíbar, chicas de sonrisas dulces, puras como lienzos inmaculados. Me tragué la tarta que entre todos fabricaron y sufrí por no ser capaz de devolverles su generosidad, sufrí porque me habían cuidado con la esperanza de que les diera una respuesta, de que solucionara el misterio y resolviera el acertijo encontrando al canalla que lo hizo o que, en su defecto, localizara a la adolescente que no aguantó más tanta mentira y decidió fugarse, decidió desaparecer para siempre, para que su ausencia fuera una penitencia y poder lavar así todos los pecados de su pequeño mundo, un mundo en el que yo jugué el papel del fantoche, el tonto útil que vino a bendecir la situación para absolver a los pecadores, lo intenté, pero no pudo ser, lo lamento mucho, os he fallado, a vosotros que sois tan nobles, a vosotros que sois tan buenos, a vosotros que lleváis escrito en vuestros corazones la paz y la calma de las almas puras. A vosotros os he fallado. Pero la realidad era que no eran tan nobles, ni tan buenos, ni llevaban escrito en sus corazones la paz y la calma de las almas puras.

Vilches buscó la mirada del anciano, pero este permanecía con los ojos cerrados. Por fin le formuló la pregunta que había venido a hacerle.

—Usted lo sabe, ¿verdad? Sabe cómo ocurrió todo.

El inspector no contestó, ni siquiera alteró el gesto, hierático e imperturbable, como una esfinge.

—Tiene que decírmelo, ¿me escucha? Tiene que decírmelo. El final ya lo conoce, pero yo también necesito saber. Aquel día Macarena me lo contó todo, pero no me dijo quién de ellos había sido. Usted lo sabe. Usted lo descubrió. ¿Quién fue, inspector, quién de ellos fue el que lo hizo?

Una enfermera que estaba repartiendo cuidados por el jardín se acercó al viejo, que seguía con los ojos cerrados, inmóvil en su silla de ruedas. Le dijo unas palabras cariñosas al oído a las que este no respondió y, poco a poco, se lo fue llevando hacia el interior del pabellón. Cuando ya habían recorrido unos metros, el anciano abrió los ojos de repente, como si un último impulso le devolviera de nuevo a la vida. Hizo un gesto con la mano pidiéndole a la enfermera que se detuviera y entonces habló con voz colérica, tenebrosa:

—Escúchame bien, Vilches Galván. Nunca hallarás la paz. Por mucho que lo intentes jamás encontrarás descanso. Ya estás condenado, Vilches Galván, y arderás por ello.

Vilches se quedó mirando cómo se alejaba y musitó para sí:

—Lo sé. En el infierno.

50

La bodega de una barca de pesca lo mismo sirve para almacenar lubinas y camarones que para guardar alijos de droga. Sólo cambia el destino final, la lonja o el camello, el trapicheo de papelinas en la esquina o la plancha de un restaurante. Y también cambia sustancialmente lo que se obtiene, en uno u otro caso, el reguero de calderilla que deja el pescado o la catarata de billetes que genera la droga. Demasiadas tentaciones para un joven Valdivia que ayudaba a su padre en la barca, trabajando de sol a sol con la sal, quemando la piel, la humedad en los huesos y las uñas oliendo permanentemente a pescadilla. Todo a cambio de una miseria, una propina cuando era aprendiz y un sueldo escuálido cuando su padre consideró que el chaval ya hacía con solvencia el trabajo de un empleado.

Al principio traficaba con cantidades mínimas, poca cosa, lo justo para abastecer a media docena de clientes y sacarse así un dinero rápido para sus cosas. Un día, por simple curiosidad de comerciante que gusta de conocer el producto que vende, decidió probarlo. En mala hora cometió semejante error. Empezó a aficionarse y, poco a poco, fue necesitando transportar alijos mayores para pagar un vicio que no era precisamente barato.

Esto complicó las cosas. A medida que aumentaba el volumen de los fardos lo hacía el riesgo que corría, un riesgo doble, el de la policía aduanera, por un lado, que podía hacer caer sobre él todo el peso de la ley, y el de su padre, que si se enteraba de en qué andaba metido su hijo podía hacer caer sobre él todo el peso de su mano abierta en forma de bofetón que le volviera la cara del revés, y ambos castigos le parecían igual de terribles. Lo peor, con todo, resultó ser el influjo que ejerció sobre su grupo de amigos. Drogarse era transgresor, moderno, rebelde, ingredientes irresistibles para cualquier joven inconformista que, en su adanismo, creían que el mundo lo habían inventado ellos.

El que primero se enganchó fue Jacinto *la Perdularia*. La cocaína parecía haber sido ideada para él, nada mejor que una puerta de escape de la realidad para quien aspiraba a vivir lo más alejado posible de ella. La droga le transportaba a un paraíso en el que los hombres podían vestirse de mujer, con peineta y con mantilla, con bata de cola y abanico de seda, meneando el aire para lanzárselo a la cara y combatir los calores de una menopausia que nunca tendría.

El resto de la pandilla también sucumbió a los cantos de sirena de la sustancia prohibida, pero en su caso fue más por probar la novedad que por verdadero vicio. A Gúmer, que como hijo y nieto de boticarios se había criado rodeado de drogas en la trastienda de su casa, no le interesaba lo más mínimo el polvo blanco, ya que para él los alucinógenos, calmantes, estimulantes, relajantes y otras sustancias de similar factura eran parte indisociable de su educación y los veía como sustancias que se les recetaban a los enfermos. Poco podía imaginar en aquel verano en el que ella desapareció, que muchos años después habría de recurrir a su viejo amigo Valdivia para introducirse en el oscuro mundo del tráfico y el contrabando y poder pagar así sus deudas de juego, que ya le acompañarían de por vida.

La única que no sucumbió a la tentación de la droga fue Macarena. La chica perfecta, el ángel bello y pluscuamperfecto, la hija ideal que a todos fascinaba con su encanto y que iba dejando un rastro de amor y pasiones por donde pisaba, resultó ser una molesta compañera de aventuras. Por mucho que lo intentaron, no consiguieron que una naricilla tan delicada y respingona fuera la cueva por la que se iba la mercancía, el agujero negro que se tragara todo el polvo que le pusieran a su alcance, capaz de esnifarse hasta un paso de cebra si se lo ponían a tiro, porque para eso ya estaba su mejor amiga, Remedios.

Tanto vicio resulta costoso, sobre todo si el consumo de cocaína empieza a saberte a poco y comienzas a tontear con la heroína. Palabras mayores. Lo que inicialmente no era más que un pasatiempo sin doblez motivado por las ganas de probar todo lo novedoso que el mundo le ponía a su alcance, terminó por convertirse en una adicción que la obligaba a buscar un dinero que no tenía para costearse el consumo cada día más intensivo que su organismo le reclamaba. Remedios no tenía trabajo, ni siquiera un empleo veraniego y temporal para sacarse un dinerillo, tal como hacían algunos de sus amigos de la escuela. Sus padres tampoco tenían una situación económica tan boyante que permitiera sufragar los caprichos de la niña y, por mucho que les sisara, el botín no daba para tanto festín. Si seguía por ese camino se darían cuenta y la tragedia estaría servida.

Las primeras veces consiguió que la invitaran, siempre había alguien dispuesto a regalarle unos gramos a cambio de su compañía en una noche de fiesta, pero pronto los amigos que iba conociendo dejaron de ser tan desprendidos, y la chica, que comenzaba a bucear peligrosamente en el pozo de la adicción, debía encontrar nuevas formas de pago para financiarse la dosis. Sólo

Macarena trató de sacarla de la sima abisal en que su amiga se estaba sumergiendo, alertándola de la peligrosa deriva en la que, poco a poco, estaba cayendo. Más insensatos o quizás más egoístas y aprovechados, fueron el resto de los integrantes de la cuadrilla, incluidos el futuro seminarista y el aprendiz de tabernero, que vieron abierta una puerta para conseguir de tapadillo lo que eran incapaces de lograr por sus propios méritos. Valdivia traficaba y conseguía la mercancía, y los demás la vendían. Si Remedios les prestaba sus favores, ellos le proporcionarían la droga, obsequiándola con papelinas de cortesía. Macarena intentó evitar que su amiga comenzara su descenso a los infiernos. Pero esta tenía otros planes, y lo que ocurrió fue que resultó ser Macarena la que estaba a punto de transformarse en un ángel caído.

51

La inocencia. Liturgia de horas que señalan el paso del tiempo, oficio divino de maitines, laudes y vísperas, que se tornan completas en la noche para lavar los pecados del mundo, para implorar clemencia ante los acontecimientos que, alternativamente, se suceden en la vida de los hombres, luz y tinieblas, seguridad y peligro, alegría y dolor. Un salterio cargado de letanías para salvar nuestras almas, ruega por nosotros, las almas de los vencidos, ruega por nosotros, las almas de los rendidos, ruega por nosotros, las almas de los heridos, ruega por nosotros.

El pueblo entero, el idílico paraíso costero, estaba a punto de sufrir una catarsis colectiva que iba a traer como resultado la pérdida de la inocencia, la caída de las vendas que, paradójicamente, en lugar de hacerles ver la luz, iba a convertirlos en un puñado de ciegos, dejándolos como los tres monitos budistas que ni ven, ni oyen, ni hablan, la mano tapando los ojos, los oídos y la boca.

A medida que aumentaban la ansiedad y las necesidades del consumidor, el precio fue subiendo. Al principio lo hizo poco a poco, de forma escalonada, una inflación razonable a la que aún podía hacerse frente sin demasiado esfuerzo. Pero a medida que el comprador iba estando más necesitado, convertido ya en adicto, tanto el vendedor como el financiador endurecían las condiciones, aplicando una ley de mercado tan lógica como injusta, que, si hasta los bancos la practicaban con impunidad en su política crediticia, no había razón de peso para que no pudieran hacerlo también ellos.

Inicialmente, se conformaban con su compañía, las risas compartidas en las noches de copas y baile. Luego se lo quisieron cobrar en besos, y cuando por fin Remedios cedió al acoso espoleada por los aguijones de la abstinencia, no tardaron en llegar peticiones carnales más rotundas. Y así, paso a paso y sin llamar mucho la atención, la chica comenzó a ser el juguete roto que iba de cama en cama.

Los encuentros a cambio de dinero o droga fueron cada vez más habituales. Comenzaron siendo razonablemente discretos, rozando el secretismo, pero no hay secreto que pueda guardarse en un pequeño pueblo durante mucho tiempo. Para evitar las habladurías, Remedios se refugió en sus amigos más íntimos, y con ellos formó una sociedad privada aún más cerrada e impenetrable que antes. Sin embargo, no todos los miembros del grupo sabían lo que ocurría. Vilches vivía en la mayor ignorancia y, bien porque no quisieran hacerle partícipe del negocio, bien porque no se fiaran de él y temieran su reacción, le ocultaron lo que estaba sucediendo. Para Macarena, por su parte, fueron semanas en las que vivió confundida, sin saber muy bien qué hacer, pues no quería traicionar el secreto de su amiga. Remedios se lanzaba de fiesta en fiesta y de cama en cama, metiéndose por la nariz todo lo que pudiera esnifarse y en vena todo lo que pudiera pincharse. Ella era una chica cobarde, carente de iniciativa, una jovencita que dudaba de todo, y que necesitaba continuamente del impulso de los demás para tomar decisiones. Sus aspiraciones se limitaban a casarse con un buen partido —el chico del boticario era perfecto— y convertirse en una madre de familia y ama de casa de clase media sin mayores pretensiones que llevar el hogar, gestionar los ahorros y pasar unos días de vacaciones en alguna ciudad publicitada en un folleto de viajes de la que, al poco de llegar, ya estaba deseando volver. Y ahora la droga lo estaba estropeando todo, hasta el punto de que empezaba a aborrecer a su amiga a la que, en el fondo, envidiaba. A Macarena, en cambio, el mundo se le quedaba muy pequeño. Se sabía bendecida por el dedo de los dioses, que la habían creado con el derroche de dones y virtudes que tanto escamoteaba a otros, la niña a la que todo el pueblo tenía subida a los altares, como si fuera la mismísima Blanca Paloma.

Remedios se enfrentaba por primera vez en su vida a una situación que no dominaba, unas circunstancias ante las que había perdido el control y que la llevaban a remolque. Si quería saciar su adicción iba a tener que pagar un precio alto, un precio en carne. Así de claro se lo plantearon sus amigos desde el primer momento.

Hubo, eso sí, dos excepciones. La primera fue la del bueno de Tico Tachuelas, que siempre estuvo en el secreto sin pretender tener jamás nada con ella. Y eso que dejar un secreto en manos de Tico Tachuelas no era la mejor forma de guardarlo, pero ese dato a nadie pareció importarle demasiado. Sólo con el tiempo, cuando ocurrió la desgracia, el futuro vendedor de loterías empezó a recibir las presiones de sus compañeros, que no tardaron en convertirse en amenazas para que nadie pudiera implicarles en un asunto tan turbio.

La segunda excepción fue la de Jacinto, a quien lo que más le interesaba de Remedios eran sus cremas y sus vestidos. Aparentemente, su relación era muy cordial, pero a nada que arañabas la superficie podían encontrarse las heridas abiertas por el resquemor y la envidia que *la Perdularia* sentía hacia la chica. Ella tenía por naturaleza y por derecho propio todo lo que se le había hurtado a él, un cuerpo divino de mujer, una piel suave y sedosa, un buen culo y una melena al viento.

Jacinto, en cambio, si ya era feo como hombre, era espantoso como mujer. Desprovisto de todo atributo destacable, gris, anodino y sin brillo alguno, sin importarle una higa ni tan siquiera a sus propios padres, tuvo que inventarse el personaje de *la Perdularia* para disponer de un alter ego que, al menos, pudiera transformarse sobre un escenario, convertirse en alguien deseado, una diva de la actuación por la que suspiraran sus fans. Obviamente no lo consiguió. Pero si había alguien a quien en realidad odiaba, esa era Macarena, poseedora de una sonrisa como no existía otra, y de una gracia y una luz que hacía que todas las miradas se concentraran en ella y que hasta el mismísimo sol girara a su alrededor. Por eso a Jacinto *la Perdularia* no le quedó más que el premio de consolación, el de convertirse en la reina mala del cuento, la dueña de la manzana envenenada que no deja de preguntarle a su espejito quién es la más hermosa. Una noche, mientras ensayaba los pasos de una pavana improbable que la obsesionaba desde niño y que algún día pensaba convertir en tarjeta de presentación de su futuro espectáculo de *cabaret*, se juró a sí mismo que no cejaría hasta ver destruida a su rival, sin entender que compararlos a ambos era un ejercicio rayano en el ridículo. Y cuanto más evidente resultaba la sideral distancia que les separaba, mayores eran sus instintos destructores y sus ansias de venganza. Macarena Albanta debía pagar por su insolencia, la insolencia de su encanto, de su perfección y de su belleza.

52

¿Cuánto vale la lealtad? ¿Cuál es el precio de la traición? Para Remedios apenas un par de dosis. Por algo tan nimio y tan ruin vendió a su amiga, no hizo falta pagarle treinta monedas de plata, que hasta el mismísimo Judas era mejor comerciante y menos miserable. Macarena era un ser demasiado excepcional como para dejarse atrapar por los chavales del pueblo, un puñado de jóvenes simples, groseros, llenos de suciedad en sus almas. Ella jamás les habría dejado traspasar la delgada línea que separa la cordialidad del contacto físico. Por ello, la única oportunidad que tenían de poseerla era anular su voluntad, eliminar su criterio y su resistencia para dejarla indefensa y a su merced. Y para conseguir ese objetivo necesitaban de la colaboración de Remedios, la única amiga en la que Macarena confiaba ciegamente.

No tardaron en elaborar el plan, al que decidieron añadirle una nota teatral. Era fundamental dejar fuera a Vilches, de modo que tuvieran el campo libre para disponer de su chica a sus anchas. No les resultó complicado, simplemente había que ocultarle lo que ocurriría esa tarde, pues no hay mejor manera de evitar un reproche que negar la afrenta. Lo que se ignora es como si nunca hubiera sucedido.

Quizás Remedios no fue consciente de las implicaciones de su traición. Quizás todo se les fue de las manos. Lo único que le preocupaba era conseguir su ración de droga, y si para ello tenía que llevar a su amiga engañada a una encerrona, no iba a dudar en hacerlo. Al fin y al cabo, pensó, todos eran amigos, miembros de la pandilla de inseparables mosqueteros que, cada verano, se juramentaban para ser como los personajes de Dumas, todos para uno y uno para todos. Sólo que aquí fue Macarena la única que, finalmente, fue para todos.

53

Pepe Querol tenía una cierta querencia hacia los lugares misteriosos. Le gustaban los templos, los claustros, las criptas y los camposantos. Sobre todo, los camposantos. Leía revistas de esoterismo, no se perdía una noticia relacionada con extraterrestres o con ocultismo, lo mismo daba que fuera algo relacionado con una psicofonía, un *poltergeist* o la chica de la curva. También le gustaban los viajes astrales o el más allá, los exorcismos y, en general, cualquier asunto en el que se librara una batalla entre el bien y el mal, ángeles y demonios que exigen pagar peaje a quien trate de adentrarse en sus dominios de lo arcano y lo prohibido. Bromeaba diciendo que, en el futuro, se dedicaría a una profesión relacionada con los misterios que aguardan al otro lado de la muerte. Y en cierto modo cumplió su palabra, pues al final de aquel infausto verano ingresó en el seminario, y pocos años después tomaba los hábitos y se ordenaba sacerdote.

A las afueras del pueblo, en lo alto de un risco que era claramente territorio de cabras, había una ermita abandonada, con un par de vigas de madera sosteniendo un tejado inexistente que no cobijaba nada porque nada había que cobijar. Las piedras que tiempo atrás habían formado sus paredes eran ahora cantos rodados de cantera, apilados de cualquier modo en el suelo desconchado del que brotaban malas hierbas y matojos entre los que, de vez en cuando, se colaba alguna flor. Lo que en otro tiempo había sido un lugar de oración era ahora una ruina de edificio en derribo del que apenas era reconocible su pasado esplendor. Las que permanecían intactas, quizás por estar ocultas bajo la tierra, eran unas escaleras que arrancaban desde debajo de lo que en el pasado debió ser un altar, y que conducían hacia el interior de la tierra hasta una vieja cripta excavada en las entrañas del edificio que se había conservado inalterada pese a los avatares del tiempo. En época de guerra la ermita había servido como mirador de vigilancia, como refugio y como parapeto de tiro. Había sido bombardeada, arrasada, quemada, hasta convertirla en el despojo de escombros que ahora era, pues en determinadas guerras fratricidas no se respetaba ni el elemental principio de acogerse a sagrado. Sin embargo, la cripta secreta permaneció al resguardo de la barbarie, sin que nadie la hubiera profanado como al resto del edificio, por la sencilla razón de que nadie la vio.

La idea, obviamente, fue del futuro cura. Propuso a sus amigos realizar una sesión de espiritismo, jugar con la *ouija* y convocar a las fuerzas de inframundo para conectar el plácido y soleado pueblecito marinero con los avernos más profundos e inexplorados. Podría parecer que el plan no era más que un juego de chiquillos, habitual en las lánguidas tardes del verano. Pero la realidad era muy diferente, porque su verdadero objetivo era otro. A él se apuntaron todos los miembros del grupo de amigos, algunos de forma insensata e irresponsable y otros a regañadientes movidos por la vergüenza del qué dirán si se negaban a acudir. A nadie en la adolescencia le gusta que le llamen cobarde, nadie quiere llevar el estigma del miedoso o del blando. Crecer también es refugiarse en el grupo, pertenecer a la manada y ser aceptado como un miembro de ella. Esa condición otorga una serie de derechos, pero también implica unas obligaciones de comportamiento social que, en otras circunstancias, jamás llevarían a cabo. Quizás ahí radique parte de la explicación de lo que ocurrió, quizás a alguno le sirva como atenuante en el juicio final.

Romano Santacruz, Gúmer Azpeitia y Valdivia se apuntaron sin dudarlo, mostrando un entusiasmo inconsciente propio de niñatos bravucones. Jacinto no estaba tan convencido, pero no iba a renunciar a unirse a la aventura ahora que ya estaba decidida. Tico Tachuelas, por su parte, se santiguó varias veces mientras repetía como una letanía que aquello le daba mal fario y que a los espíritus y a las almas en pena era mejor no menearlos mucho y dejarlos tranquilitos, allá donde estuvieran. Pero al final no le quedó más remedio que sumarse a la excursión y ser uno más de la partida.

El único que no fue invitado fue Vilches Galván. Su presencia lo habría arruinado todo, nada de lo que allí iba a ocurrir hubiera sido posible si él hubiese estado presente. Se había negado a entrar en el juego de las drogas sin importarle que lo tildaran de triste y aguafiestas y, si por un casual se enteraba de la fiesta en la cripta, no iba a acudir a una fantochada esotérica por más que sus amigos se empeñaran en organizar el *show*.

Macarena, por su parte, no quería contrariar a sus amigos, y consideraba que su obligación era cuidar de Remedios, que había insistido en que la acompañara, sin sospechar la encerrona en la que la estaba atrapando. Además, todo lo nuevo le parecía atractivo. Allá donde hubiera algo diferente, una experiencia novedosa, allá se iba ella.

Los preparativos corrieron a cargo de Querol. Convocó a sus amigos poco antes de la medianoche, que al parecer los espíritus son renuentes al calor y tienden a manifestarse mejor a la fresca que a la canícula. Preparó un escenario digno de una película de terror, imitando a las que tantas veces había visto en el cine. Trazó un círculo de fuego cuyas fronteras las marcaban unos grandes cirios que iluminaban la penumbra con la fuerza justa como para crear un ambiente de ensoñación y misterio. Dispuso también unos sahumerios que exhalaban incienso y cargaban el aire con una densidad que lo hacía difícilmente respirable. Dibujó con tiza en el suelo una estrella de David encerrada en un círculo, y colocó un vaso invertido en su centro. De un pequeño magnetofón que llevaba en un bolsillo de la chaqueta comenzó a brotar una música sacra, canto gregoriano, en las voces blancas de un coro de monjes que parecían surgir de ultratumba. Luego se cambió de ropa, vistiéndose con una túnica berenjena con capucha en pico propia de un maestro de ceremonias. Se colgó alrededor del cuello una cadena plateada de la que pendía el ojo que todo lo ve, la sinuosa curva blanquinegra del yin y el yang, y el *ank* egipcio que en su cultura significaba la llave de la vida eterna. Y con todo dispuesto para iniciar el ceremonial, el reloj marcó la hora convenida y comenzaron a llegar los convocados.

El efecto escénico resultó un éxito indiscutible. En apenas unos segundos, los que separaban la docena de escalones que iban de la superficie al sótano, ya se había conseguido crear un mundo nuevo, inquietante y misterioso, en el que los participantes en la ceremonia perdían la noción del tiempo y el espacio. El oficiante Pepe Querol recibió a sus invitados y los instó a sentarse en el suelo dentro del círculo de fuego, protegidos por los grandes cirios y velas clavadas en botellas vacías que hacían la función de candelabros. Después sirvió un líquido transparente en un gran cáliz y lo pasó uno a uno a los presentes, dos rondas completas hasta que apuraron la última gota. Era un aguardiente barato de exagerada graduación alcohólica, un brebaje que tanto servía para emborracharse como para desinfectar las heridas. Después encendió un enorme cigarro liado a mano de cuyas hojas, al ser quemadas, salía un aroma dulzón y un humo denso que dejaba una extraña sensación de placidez en el ambiente. Cannabis.

La adormidera fue rotando de mano en mano, de boca en boca, mientras las volutas de humo dibujaban caprichosas formas en el aire. Así siguieron en silencio un largo rato, mecidos por el sopor del tabaco y del alcohol, escuchando los sonidos arrulladores del canto de los monjes que cada vez sonaba más difuso y lejano. Más tarde le llegó el turno a las drogas más duras, de las que algunos de los presentes dieron cuenta con notable entusiasmo, tomando la ración que les correspondía y la que pertenecía a alguno de sus amigos que prefirieron no consumir grandes cantidades. Y cuando todos estuvieron ya preparados, cuerpo y mente pasados por el tamiz de las sustancias psicotrópicas que habían ingerido, comenzó la ceremonia de invocación de los espíritus moradores del más allá. Se recitaron varias fórmulas supuestamente mágicas, moviendo el vaso invertido de la *ouija* por las letras de un abecedario estratégicamente situado para contestar las preguntas que le formulaba el maestro de ceremonias.

Y, como era de prever, no sucedió nada. Ningún sortilegio surtió efecto y los espíritus parecieron estar esa noche bastante perezosos y con pocas ganas de salir en procesión. Demasiado decepcionante para las calenturientas mentes adolescentes que esperaban ansiosas una señal, una inequívoca manifestación proveniente del más allá. Y como no estaban dispuestos a rendirse tan fácilmente, volvieron a regar sus sentidos con todo tipo de sustancias, a ver si así estimulaban de una vez su capacidad de percepción. Todo iba saliendo de acuerdo con el plan trazado.

Entonces empezaron a ocurrir fenómenos sorprendentes. La luz de los cirios se apagó de golpe, y la música sacra cesó de repente. Los sahumerios dejaron de producir humo, y un silbido sostenido y agudo estremeció la cripta como si quisiera envolverlo todo. El vaso con el que jugaban a la *ouija* estalló y se hizo añicos. Lo habían conseguido, ya no necesitaban más pruebas para demostrar que habían establecido conexión con el lado oscuro, y que las almas en pena enviaban mensajes inequívocos. Cómo interpretar esos mensajes exigía un conocimiento del que carecían, el dominio de unas herramientas que aún no manejaban con destreza, pero lo que resultaba indudable era el éxito de su invocación.

Pepe Querol, el líder de la operación, estaba exultante, radiante, envuelto en su hábito color berenjena con el que había dirigido toda la ceremonia. Para celebrar su triunfo sobre las fuerzas del averno, propuso otra ronda de aguardiente, y después otra y otra más, en un cáliz que ritualmente elevaba a los cielos antes de ofrecerlo a sus amigos, que bebían de él con la vehemencia de quien liba del santo grial. Tampoco faltó una nueva ronda de porros, hierbas que les desinhibía y les daba la risa, en una borrachera galopante que ya comenzaba a embotarles los sentidos. En semejante estado a ninguno se le ocurrió pensar que los cirios y las velas se habían apagado por una corriente de aire, tal como indicaba el silbido del viento que habían escuchado, o que el humo cesara de manar se debía a que el incienso se había terminado, el que el canto gregoriano se interrumpiera obedecía a un fenómeno tan poco sobrenatural como que la casete del magnetofón se había terminado, y que el vaso se hubiera hecho añicos a que se había caído al suelo. Era más romántico pensar que todo se debía a mandatos sobrenaturales, a la confluencia de las fuerzas ocultas que ellos habían desvelado. La fiesta era ya imparable, se sentían amparados por la carga magnética del lugar, la soledad de una cripta en mitad del monte en la que nadie les molestaría.

Eran jóvenes y el mundo les pertenecía, ya podían hacer lo que quisieran con la mayor impunidad. Y eso incluía a Macarena.

El primero en protestar fue el estómago de Gúmer. No estaba acostumbrado a tomar tantas porquerías como sus amigos, y no tardaron en darle las primeras arcadas. Además, en la cripta se respiraba con dificultad. El aire estaba muy cargado, una humareda densa y azulada flotaba en el ambiente surreal del lugar. Consiguió llegar al exterior justo antes de vomitar. El frescor de la noche, la limpieza de la atmósfera, el sonido de las cigarras y los grillos y la belleza de las estrellas consiguieron que fuera recuperando poco a poco el ánimo y el color. Un poco más alejado, Jacinto, *la Perdularia*, se doblaba sobre sus rodillas mientras repetía sin cesar «madre mía, que malita me estoy poniendo». Su cuerpo delgado y enclenque por naturaleza, y poco trabajado por voluntad propia, le había dejado tirado en pleno carnaval, cuando el baile estaba a punto de comenzar. Tico Tachuelas había aprovechado la ocasión para salir de allí con sus amigos. Él no se sentía mal, si a algo estaba ya acostumbrado era a beber y a fumar sin sufrir apenas desgaste alguno, pues todo lo que tenía de pequeño parecía tenerlo también de profundo, un pozo sin fondo capaz de ingerir un sinfín de litros de alcohol. Él simplemente había aprovechado la primera oportunidad que se le había presentado para escapar de la cripta. No se había sentido cómodo en ningún momento. Había acudido al encuentro por obligación, por esa necesidad perentoria de sentirse parte del grupo, pero era demasiado supersticioso como para disfrutar del juego. Y además ya intuía lo que iba a ocurrir a continuación. Así que en cuanto vio que Gúmer y Jacinto se arrastraban fuera de la cueva y que nadie en su interior parecía prestarles atención, ocupados como estaban en su espiral de depravación, decidió salir él también y respirar un poco de aire fresco mientras se juraba a sí mismo que jamás repetiría una experiencia semejante.

Los que se quedaron en el interior de la cripta hacía ya tiempo que habían perdido la compostura y el decoro. Con el alcohol chorreándoles por las comisuras de los labios, la nieve blanca dejando su rastro en las narices, las carcajadas sin motivo que conseguían atronar el pequeño espacio en el que se encontraban, todo ello creaba una atmósfera grosera y vulgar en la que resultaba dudoso que ni los más malignos de entre los malos espíritus quisieran acudir y manifestarse.

A pesar de estar borracha y drogada contra su voluntad, Macarena lucía bellísima. La luz y el encanto que manaban de esa chica no se apagaban ni en circunstancias tan lamentables como en las que se encontraban. La cripta estaba húmeda, las paredes de piedra salteadas con virutas de moho. Sin embargo, los chicos tenían mucho calor, la temperatura de sus cuerpos subía hasta alcanzar cotas engañosas. Suficiente en cualquier caso para provocarles un estado de total desinhibición en el que no había lugar para el pudor o para la corrección, porque sus cuerpos y sus mentes volaban sin mando ni guion en total libertad. Fue entonces cuando los tres que habían salido a tomar el aire regresaron a la cripta.

Pronto no hubo sitio para la ropa sobre la piel de la joven, arrancada a manotazos por sus amigos, que caían sobre ella con la voracidad de una jauría de lobos ante un tierno corderito. Ella no pudo defenderse. Paralizada, siguió dejándose hacer, mientras los chavales permitían que fueran sus instintos animales los que tomaran ya por completo las riendas de la situación. La noche de invocación a los espíritus en la cripta terminó por convertirse en una orgía de sexo, alcohol y drogas a la que no fue necesario convidar a ningún invitado de ultratumba, el grupo de amigos que estaban en la cueva se bastó para encender la noche y protagonizar la fiesta. Macarena se entregó con resignación, incapaz de protestar, incapaz de defenderse, como si su destino estuviera escrito y no le quedara otra alternativa que la de dejarse llevar al acantilado al que la arrastraban sus compañeros.

Así terminó la noche de Valpurgis en la que todo lo que ocurrió fue tan terrenal como el despertar de la carne. Pero algo no salió bien. Algo sucedió que cambió el guion establecido y, apenas unos días después de celebrar la frustrada sesión de espiritismo que terminó convertida en violación, Macarena Albanta desapareció para siempre.

54

El sentimiento de culpabilidad dura más que una resaca. La vida siguió como si nada hubiera pasado, con la cadencia monótona de un metrónomo que marca el paso del tiempo sin alterarse, tic tac. El dolor de cabeza, la boca pastosa y el estómago revuelto terminan por aquietarse en unas pocas horas, un par de días a lo sumo, nada en cualquier caso que no consiga calmarse con agua en abundancia para hidratar el cuerpo y unas cuantas horas de sueño. También ayuda la edad, pues en estos asuntos ser joven es jugar con las cartas marcadas.

Los males del espíritu, sin embargo, son dolencias de más lenta curación. Algunos incluso se enquistan y se hacen crónicos, y ya ni el paso del tiempo les puede dar alivio. La culpa se convierte en un gran nubarrón que todo lo cubre, un estigma maldito con el que hay que aprender a convivir, porque no se va a ir de nuestros corazones y de nuestras cabezas, por mucho que intentemos deshacernos de él. Todo reside en la maldita conciencia, ese mecanismo diabólico que nos impide cerrar algunas carpetas del pasado. Carecer de conciencia, por tanto, se convierte en el arma infalible que nos permite alcanzar la felicidad, pues todos los demás siempre vivirán atenazados por los remordimientos sin posibilidad alguna de redención.

Entre los participantes en los sucesos de la cripta hubo algunos que pasaron días sin poder conciliar bien el sueño. Otros, en cambio, no sintieron remordimiento alguno, pensaban que ellos no habían hecho nada malo, sólo lo que requería la situación, y si las cosas habían llegado al punto que alcanzaron fue debido exclusivamente a circunstancias que escapaban por completo a su control y, por tanto, a su responsabilidad. En esa ecuación la voluntad de la chica era lo de menos, y si estaba anulada por las drogas era exclusivamente asunto suyo.

Macarena se aisló durante un par de días. No quiso salir de casa, no me encuentro bien —les decía a sus padres cuando se preocupaban por ella— y no mentía, porque su cuerpo estaba magullado por tanta violencia y maltrato. Aunque lo que sentía en realidad era vergüenza, vergüenza de perder la voluntad engañada por sus amigos, jinetes de un caballo salvaje que ya andaba desbocado, del que habían perdido las riendas y el control. Así estuvo recuperándose hasta que, al tercer día, como un Cristo resucitado, volvió a la vida, sólo que en lugar de hacerlo para bajarse de la cruz lo hizo para volver a clavarse en ella por confiar en quien menos debía.

La noche antes de la desaparición volvió a juntarse con toda la pandilla. Sólo faltaba Vilches, cada vez más distanciado de sus antiguos amigos. No le gustaba lo que veía y no quería formar parte de esa vida, de ese mundo con el que cada vez compartía menos cosas. Una pandilla sí, pero de depravados, eso es lo que eran sus amigos. Los demás podían hacer lo que les viniera en gana, ya eran mayorcitos para dirigir sus vidas hacia el abismo si así lo querían, pero él no iba a permitir que las malas compañías de un grupo de degenerados le empujaran al barranco del consumo.

Esa noche los chavales volvieron a salir de fiesta. Los violadores de Macarena regresaron al trajín de las calles, al ritmo frenético de la noche, al trapicheo en las esquinas y en los baños de la discoteca, lugares sórdidos y húmedos que apestaban a orines en el que todos los vicios encontraban acomodo. Pero algo se había roto en el corazón de la chica, algo muy íntimo se había quebrado para siempre en su interior. Macarena ya no quiso participar jamás en ese carnaval, en realidad no deseaba volver a verlos nunca más, sólo quería limpiar la suciedad que la corroía por dentro, expiar su error y volver a empezar de nuevo. Necesitaba contárselo a alguien, porque había tocado fondo y sabía que así no podría continuar por más tiempo. Se encaró con sus verdugos y, aunque en un principio la discusión fue civilizada, pronto empezó a subir de tono hasta convertirse en una descarnada batalla de reproches. Macarena amenazó con contarlo todo, incluso con denunciarlos por violación ante la comandancia de la policía. De los reproches pasaron directamente a los insultos, y ya no hubo manera de pacificar el gallinero. Tanto había ido el cántaro a la fuente que terminó por romperse. En el grupo había ya tanto odio, tanto miedo, y tanto resentimiento soterrado, que lo más probable era que las costuras terminaran por ceder y todo se desparramara.

Ya no aguantaba más y quería irse, quería desaparecer y empezar una vida nueva lejos de allí. Los muchachos deseaban hacerla callar a toda costa, Jacinto veía la oportunidad de destruir por fin a la que tanto envidiaba, y Remedios, la gran traidora, era la más peligrosa de todos, porque carecía de criterio propio y lo mismo podía ser San Antón que la Purísima Concepción dependiendo de las barbas del momento. Con esos ingredientes a nadie había de extrañar que la historia acabara mal.

55

El día de la desaparición, Macarena Albanta, de diecisiete años y vecina de la localidad, durmió mal. Apenas había podido descansar, sin poder quitarse de la cabeza el problema que la consumía desde que un par de días antes había tenido la temida confirmación. Se vivía mejor en la ignorancia —pensó— y aunque engañarse a sí misma no iba a resolver nada, al menos le permitiría continuar pensando que la vida era un juego fácil y divertido. Pero el resultado de la prueba no dejaba lugar a interpretaciones ni hacía necesaria una segunda opinión. En este tipo de asuntos la ciencia no se equivoca nunca y la realidad, por antipática o inoportuna que pueda resultar, termina por imponer su tiranía sin discusión posible.

A media mañana se reunió con Remedios. Su amiga, la misma que la había vendido sin que ella jamás llegara a sospechar nada, estaba en el secreto desde antes incluso de que estuviera confirmado. Habían dedicado muchas horas a valorar todas las posibilidades antes de tomar una decisión que, en cualquier caso, tampoco iba a ser fácil de ejecutar. La noche no había aportado luz alguna, y las reflexiones se perdían una y otra vez en el mismo laberinto sin salida. Como no fueron capaces de establecer una estrategia clara y coherente, dejaron que fueran los hechos los que decidieran por ellas. Luego, según fueran produciéndose los acontecimientos, ya buscarían una solución para cada problema. En definitiva, hicieron lo peor que podían haber hecho, dejarse llevar por la corriente, lo cual suele implicar navegar siempre a la deriva, y quien así navega acaba por lo general naufragando.

Tico Tachuelas también estaba en el secreto. Cómo se había enterado era un completo misterio, lo cierto es que pocos chismes se le escapaban a quien se había ganado ya el título de bufón oficial del pueblo. Tico lo sabía, y ello significaba que no tardaría en saberlo todo el mundo, lo que tardase el Tachuelas en aflojar la lengua al calor de unas copas pagadas por cualquier cliente con ganas de diversión.

Cuando un secreto se hace colectivo, suele ocurrir que el principal interesado sea el último en enterarse, convertido en un ridículo juguete que va de boca en boca y que, cuando por fin se entera, suele reaccionar de forma irreflexiva. Nubarrones, en definitiva. Y para evitar que esos nubarrones desataran la tormenta, Macarena decidió ir a ver a Vilches cuanto antes y ser ella la que le explicara lo sucedido y le diera la noticia. Lo hizo sin meditarlo demasiado, movida por un impulso interior que le decía que eso era lo más correcto y oportuno. No avisó a nadie, ni a su madre, ni siquiera a su amiga Remedios y, por supuesto, tampoco pensó en las consecuencias que la confesión podría traerle.

Vilches Galván llevaba unos días inquieto. Notaba que algo a su alrededor estaba cambiando. Era una percepción apoyada en la intuición, pues no tenía datos concretos que le confirmaran lo contrario, pero su instinto le decía que el ambiente no era ya el mismo de días atrás. Vilches era consciente de que, desde hacía ya unas cuantas semanas, su chica no era la misma persona a la que él se había acostumbrado. Por supuesto que mantenía toda la frescura y el encanto, la belleza de siempre. Seguía siendo la propietaria de la sonrisa más bonita del mundo, y de la piel tersa que la brisa cargada de la arenisca del paso del tiempo aún no había podido transformar en pergamino arrugado. Tampoco su carácter había sufrido una gran transformación. Ella seguía siendo la misma niña dulce y cariñosa de siempre. Y, sin embargo, había algo extraño, un velo que lo perturbaba todo, difícil de detectar desde fuera, pero imposible de que se le pasara por alto a Vilches. La caída de Macarena en los abismos de la tristeza y la culpa amenazaba con llevarse todo por delante. Ella tenía la esperanza de que su novio fuera comprensivo y la ayudara a salir del apuro en que se encontraba y en el que la habían sumido los miembros de la pandilla de supuestos amigos, egoístas, salvajes, a los que sólo les importaba su propio placer.

Macarena fue, por tanto, al encuentro de Vilches. Habían quedado en verse esa tarde después del almuerzo y por eso él se sorprendió al verla aparecer por la playa tan temprano. En cualquier caso, ver a su chica era siempre motivo de fiesta, una celebración para los sentidos. Se besaron con cariño y con la dosis justa de pasión, intercambiaron unas frases banales alabando mutuamente lo guapos que ambos se veían, y decidieron tomar prestada la barca de remos que el padre de Vilches utilizaba de vez en cuando para salir a pescar. No era aún mediodía cuando ambos jóvenes empujaban la pequeña embarcación para alejarse de la playa y se aventuraban mar adentro. Vilches remaba mientras Macarena, clavada a la proa de la balandra como un mascarón, jugaba a ser sirena al viento, salpicada por las gotas saladas de un mar que se abría respetuoso a su paso como los súbditos se postran ante su soberano. Al llegar a la pequeña cala desierta escondida en un recodo de la costa, los chicos amarraron la barca con la maroma trenzada de olas de pleamar y se lanzaron a las aguas cristalinas y frescas de la ensenada. Nadaron entre los peces de colores, que los recibieron en su hogar de las profundidades como a viejos compañeros de parranda. Peces voladores, aves buceadoras, sardinas con las escamas de plata y bogavantes de caparazón azulado formaban la paleta de colores junto a los cuerpos dorados de los muchachos, barnizados por la caricia del sol en las largas tardes de verano transcurridas. A nado llegaron a la orilla como náufragos de bronce, figuras de una belleza tan rotunda como efímera, belleza que dura lo que tardan en fundirse unos pocos años en las calderas del tiempo. Allí se amaron, sobre la arena se amaron al ritmo acompasado de la espuma que se entregaba a sus pies, diluyéndose en la arena fina y blanca como polvo de heroína. Ese pensamiento tuvo la desfachatez de sacarla de su paraíso de amor y placer para recordarle a qué había venido hasta allí con su novio, a confesarle lo que llevaba días hurtándole el sueño. Cuando regresaron a la barca volvieron a amarse sobre la tablazón de madera que cubría las crujías de la balandra, esqueleto de costillas calafateadas que conseguían el milagro, con permiso de Arquímedes, de hacerles flotar sobre el fondo del mar.

Pasaba ya ampliamente de la hora del almuerzo cuando decidieron regresar, otra vez la quilla rasgando las aguas al compás de los golpes de remo que trazaban con elegancia y destreza los fuertes brazos de Vilches Galván. A esa hora de la tarde el pueblo al completo, narcotizado por el calor, dormía la siesta. Y así, al igual que nadie los había visto zarpar, nadie los vio regresar. Dejaron la barca varada en la playa, en el mismo lugar en el que la habían tomado prestada, y caminando cogidos de la mano se fueron charlando camino de la cueva de los arrayanes. Macarena necesitaba la intimidad que sólo proporciona la soledad para contarle a Vilches su secreto. Ese fue el momento más delicado, el que los llevó a cruzar una línea a partir de la cual ya no iba a haber vuelta atrás. Avanzaba la tarde y con ella retornaba la vida a las calles del pueblo cuando por fin, sin perder la mirada ni la dignidad, se lo confesó. Lo hizo con la candidez de su preciosa sonrisa, ahora amarga, pero que a pesar de su tristeza no ocultaba su pacto de sangre con la belleza. Él no estaba preparado para encajar la noticia, que retumbaba en sus oídos, al igual que lo hacía en las paredes de la cueva de los arrayanes: Macarena acababa de confesarle que estaba embarazada.

56

Vilches ha pasado la mañana recorriendo los lugares de su infancia, recreando una época en la que la vida quedaba capturada en un retrato de felicidad y sonrisas, la sonrisa luminosa de Macarena. Ha subido la cuesta de la colina hasta el castillo y allí, con todos los recuerdos a cuestas, a las puertas mismas de la mansión, se ha despedido del anciano alemán con un sincero apretón de manos. La noche en que todo ocurrió, casi medio siglo atrás, Vilches había visto a Von Schulle cargar con el cuerpo de Noah. Ambos se debían una explicación y se la habían dado durante su encuentro en la tasca de Santacruz. No dejaba de resultar irónico que el viejo alemán al que tanto temían en la adolescencia fuera ahora la única persona de la que, al borde de poner el punto final a una desgraciada historia, quisiera despedirse antes de abandonar el pueblo y los recuerdos para siempre.

De vuelta ya en el laberinto de callecitas de casas encaladas, Vilches va dejando a un lado la botica con su cruz de neones verdes siempre encendida, en cuyas estanterías no hay medicamentos que puedan aliviar los males que le afligen; a otro lado la iglesia, contenedor de jaculatorias y sermones, que ya nunca volverá a pisar. Después las bodegas con sus botas de madera que lo mismo servían para envejecer los vinos que para dar sepultura a un hombre desgraciado que vendía lotería para ganarse la vida, porque como bufón no le alcanzaba para llenar la tripa. Se acercó hasta las puertas del Xanadú, siempre abiertas, siempre de guardia, como un hospital, por si las urgencias de la carne obligaran a algún enfermo a recibir tratamiento urgente y calmante. Terminó su recorrido en la cofradía de pescadores, la que fue su primera parada al regresar al pueblo, pues en el fondo de su corazón hundido en las aguas abisales de la culpa, estaba convencido de que con el viejo Valdivia habían empezado todos los males.

En sus oídos quemaban las palabras cargadas de odio y de ira del moribundo inspector Retamares, «te quemarás en el infierno, Vilches Galván, pagarás con tu alma». Pero se equivoca el viejo policía, el alma hace ya mucho tiempo que la entregó en depósito, ya no le pertenece, no es suya, pues todo lo vivido en estos años ha sido de prestado, una vida regalada camino del cadalso del juicio final. A las olas del mar todo esto les resulta indiferente, ellas siguen rompiendo pausadamente contra el espigón y las rocas, ajenas por completo a las miserias de unos seres que se creen libres y no son más que juncos al albur del capricho del viento.

Sus pasos de autómata le llevan hasta la cueva de los arrayanes. Nada parece haber cambiado en ella, los arbustos que le dan su nombre crecen anárquicos a su alrededor, y como si de una enorme caracola se tratara, desde su centro se escucha el murmullo del mar. Ha venido en busca de una respuesta y ahora por fin ha entendido que da completamente igual, porque la que está mal formulada es la pregunta. ¿Quién de sus amigos dejó embarazada a su novia? ¿Quién sembró en su interior la semilla del odio y del mal? Ella nunca lo confesó. Paralizada por el miedo, no llegó a contarle que lo de la cripta no había sido consentido, sino que, en realidad, había sido una violación colectiva. Pero Vilches no quería escuchar, él sólo quería saber quién era el padre de la criatura que crecía en el vientre de su novia, y ahora sabe por fin por qué ella jamás se lo confesó: sencillamente porque nunca lo supo.

Cualquiera de ellos, durante la orgía en la cripta, pudo haberlo hecho. Nunca lo sabrá y, finalmente, ha comprendido que nada le daba derecho a saberlo. Por fin, Vilches entiende que el mayor error que cometió fue empeñarse en vivir la vida de los otros cuando el tesoro, precisamente, consiste en el albedrío de errar y a pesar de todo seguir adelante, con la sonrisa más bonita del mundo o con la mueca deforme de un clown de los de lágrima pintada en la cara embadurnada de blanco, payaso listo, payaso tonto. Seguir adelante, pero hacerlo con el espíritu lúdico de quien ha entendido que todo es un juego, breve, efímero, cruel. Pero un juego al fin y al cabo. Vilches ha tardado toda una vida en entender las reglas, y ahora que se sabe desplazar por el tablero es hora ya de decir adiós.

Enciende un cigarrillo. Anochece. Sentado sobre la piedra parece un faro que mira al mar. Se descalza. Cierra los ojos. Deja que el viento le acaricie la piel, que lave con su frescura la basura que ha ido acumulando su cuerpo hasta pudrirle las entrañas. Esboza una sonrisa, la de quien ha llegado a destino y por fin puede descansar. Y entonces todo se desborda y se desarrolla en un instante, el sonido seco del arma al cargar el cartucho y amartillar el percutor, y el estruendo del disparo al reventarle los sesos, un estruendo amplificado por las paredes cóncavas de la cueva de los arrayanes, justo en el mismo lugar en el que cincuenta años atrás, y después de estrangularla cegado por los celos, había enterrado el cadáver de Macarena Albanta.

Zahara de los Atunes, Madrid
Primavera de 2023

NOTA FINAL

El nombre con el que he bautizado a la protagonista de esta novela, Macarena Albanta, es un sentido homenaje a Luis Eduardo Aute, uno de los más grandes artistas que ha dado nuestro tiempo.

En sus versos, Albanta es un mágico mundo donde el sol, más que sol, es luz blanca, y en el que vuelan las alas del agua como gaviotas de escamas, y el mar no es el mar, sino el sueño que acaso te soñó. Ese universo maravilloso lo lleva escrito el personaje en su mirada. El regalo de su sonrisa es, ni más ni menos, que el sentido de la vida. Por eso tenía que llamarse Albanta, porque ella, al igual que Eduardo, son seres demasiado bellos para este feo, feo mundo. Porque aquí, tú ya lo ves, es Albanta al revés.

ÍNDICE